Jornalismo cultural

COLEÇÃO COMUNICAÇÃO

Coordenação
Luciana Pinsky

A arte de entrevistar bem Thaís Oyama
A arte de escrever bem Dad Squarisi e Arlete Salvador
A arte de fazer um jornal diário Ricardo Noblat
A imprensa e o dever de liberdade Eugênio Bucci
A mídia e seus truques Nilton Hernandes
Assessoria de imprensa Maristela Mafei
Comunicação corporativa Maristela Mafei e Valdete Cecato
Correspondente internacional Carlos Eduardo Lins da Silva
Escrever melhor Dad Squarisi e Arlete Salvador
Ética no jornalismo Rogério Christofoletti
Hipertexto, hipermídia Pollyana Ferrari (org.)
História da imprensa no Brasil Ana Luiza Martins e Tania Regina de Luca (orgs.)
História da televisão no Brasil Ana Paula Goulart Ribeiro, Igor Sacramento e Marco Roxo (orgs.)
Jornalismo científico Fabíola de Oliveira
Jornalismo cultural Daniel Piza
Jornalismo de rádio Milton Jung
Jornalismo de revista Marília Scalzo
Jornalismo de TV Luciana Bistane e Luciane Bacellar
Jornalismo e publicidade no rádio Roseann Kennedy e Amadeu Nogueira de Paula
Jornalismo digital Pollyana Ferrari
Jornalismo econômico Suely Caldas
Jornalismo esportivo Paulo Vinicius Coelho
Jornalismo internacional João Batista Natali
Jornalismo político Franklin Martins
Jornalismo popular Márcia Franz Amaral
Livro-reportagem Eduardo Belo
Manual do foca Thaïs de Mendonça Jorge
Manual do frila Maurício Oliveira
Manual do jornalismo esportivo Heródoto Barbeiro e Patrícia Rangel
Os jornais podem desaparecer? Philip Meyer
Os segredos das redações Leandro Fortes
Perfis & entrevistas Daniel Piza
Reportagem na TV Alexandre Carvalho, Fábio Diamante, Thiago Bruniera e Sérgio Utsch (orgs.)
Teoria do jornalismo Felipe Pena

Jornalismo cultural

Daniel Piza

Copyright© 2003 Daniel Piza
Todos os direitos desta edição reservados à
Editora Contexto (Editora Pinsky Ltda.)

Diagramação
Denis Fracalossi
Texto & Arte Serviços Editoriais

Revisão
Vera Lúcia Quintanilha
Texto & Arte Serviços Editoriais

Projeto de capa
Marcelo Mandruca

Capa
Antonio Kehl

Foto do autor
Agência Estado

Dados Internacionais de Catalogação na Publicação (CIP)
(Câmara Brasileira do Livro, SP, Brasil)

Piza, Daniel
Jornalismo cultural / Daniel Piza. 4. ed., 2ª reimpressão. –
São Paulo: Contexto, 2025. (Coleção comunicação)

Bibliografia.
ISBN 978-85-7244-227-5

1. Jornalismo. I. Título II. Série.

03-2758   CDD-070.449306

Índice para catálogo sistemático:
1. Jornalismo cultural 070.449306

2025

Editora Contexto
Diretor editorial: *Jaime Pinsky*

Rua Dr. José Elias, 520 – Alto da Lapa
05083-030 – São Paulo – SP
PABX: (11) 3832 5838
contato@editoracontexto.com.br
www.editoracontexto.com.br

Proibida a reprodução total ou parcial.
Os infratores serão processados na forma da lei.

SUMÁRIO

INTRODUÇÃO 7

CAPÍTULO I
Pontos luminosos
   Conversas humanistas 11
   Revistas e revisões 19
   Instantes brasileiros 32

CAPÍTULO II
De polos e tribos
   Pitadas de teoria 43
   O elitismo e o populismo 45
   As variedades e as erudições 52
   O nacional e o internacional 58
   Os segundos estão entre os primeiros 62

CAPÍTULO III
Contraclichê
   A questão da crítica 69
   Adendo: colunas de opinião 79
   Reportar é saber 80
   Perfis e entrevistas 84

Dez dicas 86
A enganosa "doce vida" 88
A praga do jabá 90

CAPÍTULO IV
Aqueles foram os dias
    Um (feliz) estranho no ninho 93
    Viagem original 102
    O prazer do texto 111
    Outras esperanças 114

Bibliografia comentada 131

INTRODUÇÃO

Não há nada de nostalgia ou negativismo em observar que o jornalismo cultural brasileiro já não é como antes. Pequeno panorama histórico é suficiente para mostrar que grandes publicações e autores do passado têm hoje poucos equivalentes; mais que uma perda de espaço, trata-se de uma perda de consistência e ousadia e, como causa e efeito, uma perda de influência. Os possíveis motivos para isso serão discutidos ao longo deste livro. Mas é bom observar ainda neste primeiro parágrafo que, ironicamente, as seções culturais dos grandes jornais continuam entre as paginas mais lidas e queridas e, como venho notando no dia a dia do meu trabalho e nos seminários a que compareço, o jornalismo cultural vem ganhando mais e mais status entre os jovens que pretendem seguir a profissão.

Essa expressão, jornalismo cultural, é um pouco incômoda, especialmente para os objetivos deste livro, porque parece tratá-lo da mesma forma como tantas vezes ele ainda é tratado pela grande imprensa brasileira – desempenhando um papel algo secundário, quase decorativo. Os "segundos cadernos" têm uma importância para a relação do jornal com o leitor – ou, mais ainda, do leitor com o jornal – que é muito maior do que se supõe. Além disso, há uma riqueza de temas e implicações no jornalismo cultural que também não combina com seu tratamento segmentado; afinal, a cultura está em tudo, é de sua essência misturar assuntos e atravessar linguagens. Qualquer jornalista com experiência na área sabe das exigências que ela envolve. O empobrecimento técnico do jornalismo cultural vem também da banalização de seu alcance, contra a qual este livro se põe.

No entanto, uma tendência do jornalismo brasileiro recente, a qual vivencio como profissional desde 1991, é a de querer aparentar o jornalismo cultural aos outros – político, econômico, policial etc. – em método, o que, numa frase, significa não reconhecer o maior peso relativo da interpretação e da opinião em suas páginas. Não há contradição aí. Essa tendência faz parte da mesma tentativa de manter secundárias as seções culturais. Como será mostrado mais adiante, há muito a fazer pelo jornalismo cultural no gênero da reportagem, inclusive no chamado "hard news" (as notícias mais quentes, inadiáveis), mas isso não pode ser feito à custa da análise, da crítica, do debate de ideias – vocações características do jornalismo cultural e carências fortes do leitor contemporâneo. O conceito de que "emitir opiniões é fácil", que tantas vezes escutei em redações, é o primeiro a ser combatido.

Nesse sentido, este livro propõe sim que o jornalismo cultural deva receber um tratamento diferenciado, mas recusa a noção de que seja fácil e simples. Há grandes questões para ele enfrentar. A maior delas, talvez, seja a infinidade de oposições, de polarizações, que o contamina a todo instante. Entretenimento *versus* erudição, nacional *versus* internacional, regional *versus* central, jornalista *versus* acadêmico, reportagem *versus* crítica – a lista poderia ir longe. E, na verdade, tais dicotomias estão relacionadas com um velho debate filosófico que opõe o compreender e o julgar, debate que está na origem do jornalismo em geral, não apenas do cultural. Mas veremos muitos exemplos de soluções intermediárias, em diversos matizes, e que o problema do jornalismo cultural é sobretudo o de não perceber esse cromatismo.

Jornalismo, como se sabe, tem de estar no sangue; jornalismo cultural tem de estar no DNA. Desde os 14 anos senti, nem sempre conscientemente, o desejo de ser jornalista cultural, de expor minhas ideias sobre livros e obras de arte que consumia vorazmente. Mas, ainda como mero leitor dos cadernos culturais, não sabia que um pacotaço de regras e ressalvas costuma ser despejado na cabeça do jovem que entra na carreira. Logo que comecei a escrever no *Caderno 2* do jornal *O Estado de S.Paulo*, em junho de 1991, aos 21 anos, comecei a tomar contato com essa visão – às vezes assimilada até mesmo pelos profissionais da área – de que o jornalismo cultural não é tão relevante; e fui percebendo esse jogo de contrários, tão intenso e ao mesmo tempo subliminar, que o chacoalha até ver caírem as ambições e as sofisticações.

No período que passei na *Ilustrada*, na *Folha de S.Paulo*, de 1992 a 1995, senti sob as mãos o hiato existente entre o chamado caderno "de variedades", sempre pressionado a ser ligeiro e superficial, e os suplementos literários e/ou dominicais, normalmente escritos por professores universitários que não raro esquecem o ponto de vista do leitor menos especializado. Quando cheguei à *Gazeta Mercantil* em dezembro de 1995, para fazer o caderno *Fim de Semana*, comecei a testar modos de superar aquelas amarras e esse hiato, como narro na parte final deste livro. Fiquei lá até abril de 2000, quando novamente os problemas econômicos que afligem nosso jornalismo me levaram a inaugurar outro ciclo. Desde então sou editor-executivo e colunista do *Estadão*, além de colaborar em diversas publicações e escrever meus livros, sempre com ênfase na batalha por um jornalismo mais cultural, mais preocupado em provocar perspectivas no leitor.

No balanço, se os desafios não são poucos, os prazeres também não. Quero deixar bem claro que, pela minha experiência e também pelas estatísticas, há um contingente sólido, respeitável, de leitores interessados em jornalismo cultural de qualidade; e que sempre há espaço, a ser criado e recriado com persistência, para quem se dispuser a produzi-lo. Fazer-se de vítima talvez não seja o primeiro obstáculo, mas é certamente o maior que um jornalista cultural tem a superar. Mesmo que lhe restem apenas algumas linhas num canto da página, essas linhas podem sempre ofuscar todo o restante. O leitor, tantas vezes menos preconceituoso quanto ao jornalismo do que os próprios jornalistas, saberá enxergar.

Daniel Piza, abril de 2003

CAPÍTULO I

Pontos luminosos

CONVERSAS HUMANISTAS

Este capítulo não é, nem poderia ser, uma história formal do jornalismo cultural, até porque não existe telescópio Hubble que possa determinar a data de seu nascimento. É apenas um passeio por preferências pessoais e uma certa perspectiva dessa história.

Um marco dos princípios do jornalismo cultural, não uma data inicial, é 1711. Foi nesse ano que dois ensaístas ingleses, Richard Steele (1672-1729) e Joseph Addison (1672-1719), fundaram uma revista diária chamada *The Spectator*. Steele já criara, alguns anos antes, *The Tatler*, tendo depois Addison como colaborador, e mais tarde fariam outras publicações, como *The Guardian*. Os dois decidiram lançar a *Spectator* com a seguinte finalidade: "Tirar a filosofia dos gabinetes e bibliotecas, escolas e faculdades, e levar para clubes e assembleias, casas de chá e cafés". E assim seria. Logo Londres estaria ansiosa por descobrir quem eram os autores por trás de assinaturas como CLIO, R, T e X – e descobriria. Addison e Steele se tornaram famosos; o que escreveram nos quatro anos em que fizeram a revista era discutido, tal como queriam, nas mesas dos cafés, clubes e casas. Até hoje as antologias de seus ensaios são encontradas nas livrarias e estudadas em vários países.

A revista falava de tudo — livros, óperas, costumes, festivais de música e teatro, política — num tom de conversação espirituosa, culta sem ser formal, reflexiva sem ser inacessível, apostando num fraseado charmoso e irônico que faria o futuro grão-mestre da crítica, Samuel Johnson, sentenciar: "Quem quiser atingir um estilo inglês deve dedicar seus dias e suas noites a ler esses volumes". Podia tratar dos novos hábitos vistos numa casa de café, como temas em discussão e roupas na moda, ou então criticar o culto às óperas italianas e o casamento em idade precoce. Podia citar Xenofonte para satirizar a falta de modéstia dos ingleses e Dom Quixote para atacar a mania de ridicularizar o outro por meio de risadas.

Em outras palavras, a *Spectator* – portanto o jornalismo cultural, de certo modo – nasceu na cidade e com a cidade. Não por acaso, Addison e Steele comentam com frequência a difícil adaptação de um homem do campo que se mudava para Londres. Até o século anterior, os cavalheiros, homens com estudo e refinamento, moravam em propriedades rurais e desprezavam a rudeza urbana, onde a industrialização que começava causava poluição e atraía pobres. A *Spectator* se dirigia ao homem da cidade, "moderno", isto é, preocupado com modas, de olho nas novidades para o corpo e a mente, exaltado diante das mudanças no comportamento e na política. Sua ideia era a de que o conhecimento era divertido, não mais a atividade sisuda e estática, quase sacerdotal, que os doutos pregavam.

Dizendo ainda de outra forma, o jornalismo cultural, dedicado à avaliação de ideias, valores e artes, é produto de uma era que se inicia depois do Renascimento, quando as máquinas começaram a transformar a economia, a imprensa já tinha sido inventada (por Gutenberg em 1450) e o Humanismo se propagara da Itália para toda a Europa, influenciando o teatro de Shakespeare na Inglaterra e a filosofia de Montaigne na França. Os *Ensaios* de Montaigne, com sua capacidade de mesclar o mundano e o erudito, são a matriz evidente das conversações de Addison e Steele. Filho do ensaísmo humanista, o jornalismo cultural inglês também ajudou a dar luz ao movimento iluminista que marcaria o século XVIII.

Quando, por exemplo, Voltaire chegou à Inglaterra em 1726, ficou admirado com o clima de liberdade de expressão vigente na vida pública londrina; mais tarde, declarou que a mentalidade inglesa seria determinante para suas ideias sobre justiça e independência. Naquele mesmo ano, um livro "escrito para envergonhar a humanidade", *Viagens de Gulliver*, era publicado na capital inglesa; seu autor, o irlandês Jonathan Swift, era outra cria do jornalismo cultural nascente, que já testemunhara o calor de seus panfletos satíricos como *A batalha dos livros* e *Uma proposta modesta*. Outro grande escritor britânico do século XVIII que veio da fornalha quente do jornalismo foi Daniel Defoe, autor de *Robinson Crusoé*, que durante quase dez anos (1704-1713) escreveu sozinho *Review*, um periódico da corte.

Iniciava-se então, graças ao poder multiplicador da imprensa, uma era de ouro do jornalismo europeu, tão influente na modernidade quanto as revoluções políticas, as descobertas científicas, a educação liberal ou o romance realista. Na Inglaterra, além de Addison e Steele, o ensaio reproduzido instantaneamente teve nomes influentes como o citado Samuel Johnson (1709-1784), o dr. Johnson, que escrevia em *The Rambler*, e William Hazlitt (1778-1830), em *The Examiner*, para não falar de Charles Lamb, na *London Magazine*, e muitos mais.

Dr. Johnson, cuja biografia escrita por James Boswell é considerada uma das obras-primas da humanidade, foi o primeiro grande crítico cultural: suas resenhas da prosa e poesia de seus contemporâneos, seus ensaios sobre Shakespeare, seus estudos sobre a língua inglesa, suas reflexões sobre todos os assuntos à maneira de um Montaigne transferido do castelo para a taverna, além de romances como *Rasselas*, fizeram dele o homem de letras mais lido e temido de seu tempo. Johnson é o pai de todos os críticos europeus, americanos ou brasileiros cujas opiniões sobre um livro ou qualquer outro tema, nos séculos seguintes, eram esperadas com fôlego preso por uma pequena mas decisiva plateia. E ele era capaz de julgamentos sensatos sobre homens de seu próprio tempo, como no trecho seguinte, sobre o poeta inglês Alexander Pope:

"Um de seus tópicos favoritos é a crítica de sua própria poesia. Por isso, ainda que fosse verdade, ele não mereceria nenhuma recomendação, e nisso certamente ele não foi sincero; pois sua alta opinião sobre si mesmo foi suficientemente observada, e do que ele poderia se orgulhar senão de sua poesia? Ele diz escrever quando 'não tem nada mais a fazer'; no entanto, Swift se queixa de que ele nunca estava disponível para conversações porque 'sempre tinha algum esquema poético em mente'. Ele pedia que pontualmente fosse colocada sobre sua cama uma mesa para escrever tão logo acordasse; e uma empregada doméstica relatou que, durante o terrível inverno de 1740, foi despertada por ele quatro vezes durante a noite para abastecê-lo com papel, caso contrário ele perderia um pensamento."
(Samuel Johnson, *"Pope"*, 1781, in The English Poets.)

Hazlitt, depois de Dr. Johnson, também foi o árbitro do gosto de toda uma geração, no final do século XVII, guiando não só os argumentos para qualificar o trabalho dos novos criadores, mas também as reavaliações de clássicos, como o mesmo Shakespeare. Hazlitt era também um polemista político, defensor dos trabalhistas, que muito influenciou a conquista de direitos pelos cidadãos. Por falar em cidadãos, a história da Revolução Francesa (1789) não seria contada sem a história do jornalismo. Como mostraram autores como Robert Darnton, foi no caldo de cultura fervido pelos panfletos e pasquins nas ruas das cidades que a Revolução Francesa ganhou vigor e algum rumo.

Em meados do século XIX, quando a industrialização já tinha tomado conta da Europa e da história, o ensaísmo e a crítica cultural se tornaram ainda mais influentes. Na Inglaterra, um crítico de arte como John Ruskin (1819-1900) era tratado como semideus pelos seguidores (e, claro, demonizado pelos detratores).

Tratando a estética quase como religião, ele marcou sua época de tal maneira que se tornou uma das maiores influências sobre a literatura moderna de um grande francês, Marcel Proust (1871-1922), que também foi crítico militante nas páginas de *Le Figaro*. Cada opção de cor, para Ruskin, era um gesto moral, uma opção filosófica; e essa postura atraiu Proust, até hoje para muitos um compósito ideal de intelectual e artista.

O papa francês da crítica oitocentista, a propósito, se chamava Sainte-Beuve (1804-1869), cuja visão da literatura como passatempo culto foi atacada celebremente por Proust. Mas as críticas que Sainte-Beuve publicava nos jornais *Le Globe* e *Le Constitutionnel* estabeleceram um padrão para o jornalismo cultural, apesar de seus muitos erros de avaliação (desprezava Balzac, por exemplo). Em *Le Constitutionnel* fazia uma coluna semanal, intitulada "Causeries du Lundi" (Bate-papo da Segunda-feira), que é a precursora dos rodapés literários que se veem até hoje nos jornais sérios. Depois dele, o jornalista cultural ganhou status: ele podia desenvolver uma carreira exclusivamente como crítico e articulista, independente de academias ou de uma obra ficcional; a tarefa tinha sua própria dignidade.

Não que não tenha tido antecessores. No período iluminista, Denis Diderot (1713-1784), o editor-chefe da *Enciclopédia*, foi um grande crítico de arte. Cobrindo os salões e as exposições anuais para os periódicos nos anos 1760, Diderot abriu caminho para o reconhecimento de artistas como Delacroix; e as coletâneas de seus ensaios e resenhas, quando publicadas no final do século XVIII, o fizeram ainda mais famoso. Seu seguidor, no gênero, foi o gênio da poesia Charles Baudelaire (1821-1867), que também resenhou salões de pintura nos anos 1840. A principal diferença é que Sainte-Beuve estabeleceu sua reputação somente por sua atividade crítica.

Na Alemanha, o equivalente de Diderot e Johnson no século XVIII foi G.E. Lessing (1729-1781), que ficou famoso como crítico de teatro, literatura e pintura na capital, ao escrever para o jornal *Berlinische Privilegirte Zeitung*. E o equivalente de Baudelaire e Ruskin no século XIX foi Heinrich Heine (1797-1856), outro grande poeta, que mesclava crítica social e polêmica literária – que, na verdade, o fizeram perseguido em seu país e popular na França.

Também no século XIX o jornalismo cultural atravessou o Atlântico e foi se tornar influente em países como os EUA e o Brasil. Nos EUA pré-Guerra Civil, a figura maior da crítica, cujo sustento vinha de sua produção para as revistas e os jornais que se multiplicavam com o desenvolvimento industrial acelerado do norte do país, foi Edgar Allan Poe (1809-1849). Hoje famoso por seus contos de mistério e poemas como *O corvo*, Poe só era reconhecido em seu país como crítico e ensaísta que modernizou o ambiente intelectual da América. Curiosamente, se tornaria mais respeitado como escritor polivalente na França graças ao trabalho de Baudelaire.

Na segunda metade do século XIX, os críticos americanos se multiplicariam à medida que o país crescia e sua cultura se solidificava. Um grande ensaísta e articulista que brilhou nos jornais e revistas de Nova York, como o *New York Tribune*, foi o genial romancista Henry James (1843-1916). De Paris e Londres, James enviava resenhas literárias e narrativas de viagem que marcaram época; seu ensaio *A arte da ficção*, publicado pela *Longman's Magazine* em 1884, foi definitivo ao defender o romance como criação intelectual e criticar as histórias sentimentais escritas para o sucesso popular.

No Brasil, o jornalismo cultural só ganharia força no final do século XIX; e dele nasceria o maior escritor nacional, o nosso Henry James, Machado de Assis (1839-1908), que começou a carreira como crítico de teatro e polemista literário, escrevendo ensaios seminais corno *Instinto de nacionalidade* e resenhando controversamente os romances de Eça de Queiroz. Muitos outros escritores brasileiros da época passaram pelo jornalismo cultural.

O grande crítico do período, amigo de Machado, era José Veríssimo (1857-1916), discípulo brasileiro de Sainte-Beuve, rigoroso e corajoso, editor da célebre *Revista Brasileira:* sua carreira foi toda feita na qualidade de crítico, ensaísta e historiador da literatura, assim como as de Sílvio Romero e Araripe Jr.

Mas no final do século XIX o jornalismo começou a mudar e, com ele, o estilo da crítica cultural feita em periódicos. A presença social adquirida pela imprensa ficou evidente durante o famoso Caso Dreyfus, na França, em que um tenente judeu foi acusado de traição. Em 13 de janeiro de 1898, o popular romancista naturalista Émile Zola (1840-1902), também crítico de arte e literatura, saiu em defesa de Dreyfus numa carta aberta ao presidente da França sob o título "Eu acuso". Esse momento de glória jornalística levou Zola à prisão e multa, mas também obrigou o caso a ser revisto, e a inocência do tenente foi provada.

No mesmo período, quem brilhava polemicamente em Londres era o irlandês George Bernard Shaw (1856-1950). Depois de um início fracassado de carreira como romancista e antes do sucesso mundial como dramaturgo, Shaw foi sucessivamente crítico de arte, teatro, literatura e música em publicações como *Saturday Review* e *The World*. Sua coluna semanal iniciada nessa publicação em 1890 e intitulada simplesmente "G.B.S." misturava polêmica política, observação social e análise estética, era discutida em toda a Inglaterra (e sua repercussão chegava a outros países, especialmente os EUA) e criou um novo modelo de jornalismo cultural.

As críticas das artes saíram de seu circuito de marfim: Shaw as lançou no meio da arena social, exigindo que se comprometessem com as questões humanas vivas, mostrando, por exemplo, que uma ópera de Mozart era composta de muito mais elementos que as belas melodias e o figurino pomposo. O crítico cultural agora tinha de lidar com ideias e realidades, não apenas com formas e fantasias.

> "*Seguramente, se um compositor tão grande quanto Haydn pôde dizer, graças à sua grandeza como homem, 'Não sou o melhor da minha escola, embora tenha sido o primeiro', os adoradores de Mozart podem reconhecer, com igual alegria de espírito, que seu herói não foi o primeiro, embora tenha. sido o melhor. (...) Há cem anos Mozart era considerado um inovador desesperado: foi sua reputação a esse respeito que fez muitos compositores – Meyerbeer, por exemplo – cultivarem a inovação pela inovação. Então vamos dar um pulo de cem anos, até a atualidade, e ver se há algum fenômeno da mesma natureza à vista hoje. Não é preciso procurar longe. Aqui, debaixo de nossos narizes, está Wagner exaltado por todos como o fundador de uma escola e o arqui-inovador musical de nosso tempo. Ele mesmo sabia a verdade; mas desde sua morte eu pareço ser a única pessoa que concorda com ele sobre esse assunto. Eu afirmo com a máxima confiança que em 1991 se verá claramente que Wagner foi o final do século XIX, ou da escola de Beethoven, em vez de o início da escola do século XX – da mesma forma como a música mais perfeita de Mozart é a última palavra do século XVIII, não a primeira do século XIX.*"
> (Bernard Shaw, "The Mozart centenary", 1891, *in* Shaw on music.)

Tal choque elétrico também ocorreu nas outras capitais mundiais. Em Viena, por exemplo, outra combinação de jornalista, crítico, filólogo e dramaturgo, Karl Kraus (1874-1936), derramou ácido na cena cultural. Em 1899 ele fundou uma revista chamada *Die Fackel* (A Tocha), que unia sátira política e comentário estético e que ele mais tarde passou a escrever inteiramente sozinho, até ser fechada em 1936 por causa da tirania nazista. Kraus, que era também poeta, é mais lembrado por seus aforismos – pequenas pílulas que concentravam ideias e provocações para a leitura rápida do cidadão urbano – e pelo drama *Os últimos dias da humanidade*.

A arte moderna, enfim, já derrubava muros e o jornalismo cultural começara a se renovar. Até a virada para o século XX, o jornalismo era feito de escasso noticiário, muito articulismo político e o debate sobre livros e artes. Mas a modernização da sociedade transformou também a imprensa: o jornalismo moderno passou a dar mais importância para a reportagem, para o relato de fatos, não raro sensacionalista, e começou a se profissionalizar. Repórteres de política e polícia, passaram a ser os mais importantes dentro das redações. O jornalismo cultura, também "esquentou": descobriu a reportagem e a entrevista, além de uma crítica de arte mais breve e participante. Das conversações sofisticadas de Addison e Steele até as resenhas incisivas de Zola, Kraus e Shaw, o jornalismo cultural tomou sua forma moderna.

REVISTAS E REVISÕES

Quem continuou a desempenhar papel fundamental no jornalismo cultural foram as revistas, incluindo na categoria os tabloides literários semanais ou quinzenais. Em todo momento de muita agitação intelectual e artística do século XX, em toda cidade que vivia efervescência cultural, a presença de diversas revistas – com ensaios, resenhas, críticas, reportagens, perfis, entrevistas, além da publicação de contos e poemas – era ostensiva.

Estude os "ismos" todos lançados nas três primeiras décadas do século e você terá de estudar as revistas em que eles foram formulados e debatidos. Assim foi com o surrealismo francês, o futurismo russo, o imagismo americano: a expansão das vanguardas estava diretamente ligada à expansão da imprensa, dos recursos gráficos, do público urbano ávido por novidades. No Brasil, por exemplo, o modernismo paulista teve na linha de frente a revista *Klaxon*, título que significa "buzina"; e o buzinaço promovido por Oswald de Andrade, Mário de Andrade, Victor Brecheret e outros no Teatro Municipal, a Semana de 22, deixa ecos até hoje.

A grande era da crítica, dos séculos XVIII e XIX, não tinha terminado, apenas se transformado. A adaptação para um mundo cada vez mais povoado por máquinas, telefones, cinemas – para um mundo moderno, marcado pela velocidade e pela internacionalização – mudou o figurino do crítico, mas não tanto sua figura. Não se tratava mais daquela presença algo sacerdotal, missionária, do esteta que prega uma forma de vida por meio de julgamentos artísticos e assim atrai discípulos – cujo último grande exemplar foi Oscar Wilde (1854-1900), mais um irlandês atrevido e brilhante que sacudiu Londres e o mundo não só como dramaturgo e celebridade, mas também como crítico e defensor da tese exposta em *O crítico como artista* de que a crítica cultural em si era uma forma de arte, autônoma em relação às outras artes.

O crítico que surge na efervescência modernista dos inícios do século XX, na profusão de revistas e jornais, é mais incisivo e informativo, menos moralista e meditativo. No entanto, continua a exercer uma influência determinante, a servir de referência não apenas para leitores, mas também para artistas e intelectuais de outras áreas. Torna-se aquilo que o historiador Russell Jacoby chamou, no livro *Os últimos intelectuais*, de "intelectual público". Como Shaw, ele luta pela relevância da cultura no cotidiano das pessoas, mas, ao contrário de Shaw, não quer encaixá-la num sistema de valores, numa mistura de ideologia e estética – embora muitas vezes a ideologia ainda dite muitas opções estéticas feitas pelos críticos culturais até hoje.

Os EUA, especialmente, tomam a tradição ensaística inglesa e a renovam, produzindo na crítica cultural aquilo que a Europa ataca por não encontrar com frequência na filosofia americana – uma densidade de pensamento que não é exclusiva dos tratados acadêmicos em que, ao longo do século XX, os europeus mergulharam até a obscuridade. Dois dos maiores poetas americanos modernos, que são também dois dos maiores poetas mundiais modernos, foram ainda dois dos maiores críticos do século XX: Ezra Pound (1885-1972) e T.S. Eliot (1888-1965), cujas contribuições à revisão do passado literário e revelação do futuro cultural não cabem neste livro. E ambos foram ativos editores de revista, como *Poetry* para Pound e *Criterion* para Eliot, além de editores de livros (Pound editou o maior poema de Eliot, *The waste land*, e Eliot dirigiu por três décadas a editora Faber and Faber).

Também nos EUA surgiram críticos que se formaram no jornalismo e se consagraram como tais. Os dois melhores exemplos, e mais famosos, são H. L. Mencken (1880-1956) e Edmund Wilson (1895-1972). Mencken, em parceria com o espirituoso crítico de teatro George Jean Nathan, bagunçou o coreto americano como editor das revistas *Smart Set* e *American Mercury*, que geram descendentes até hoje; Wilson trabalhou em algumas dessas herdeiras, como *Vanity Fair*, *The New Republic* e *The New Yorker*; nelas, ambos foram lidos com admiração pelos leitores e temor pelos escritores.

Mencken era o herdeiro de Shaw (sobre quem escreveu um livro) e Kraus no outro lado do Atlântico. Como eles, separou os bons dos maus livros usando um lança-chamas verbal; escreveu aforismos, livros de filologia, polêmicas políticas, memórias; foi muito influenciado pelas ideias do pensador alemão Friedrich Nietzsche (1844-1900), cujos comentários sobre a música de Richard Wagner, além obviamente de toda sua filosofia anticristã e heroica, se tornaram centrais para criadores e estudiosos modernos. Tal a força de sua escrita, não se pode falar nos "anos 20" sem se falar em Mencken.

Mas Mencken era repórter de carreira, que começou trabalhando em jornais de sua cidade natal, Baltimore, e se tornou mundialmente famoso depois de cobrir o Julgamento do Macaco, em que um professor de escola secundária foi processado por ter ensinado Darwin em vez da Bíblia no Tennessee. E isso seria tão importante para o jornalismo cultural posterior quanto sua crítica literária, o consistente trabalho feito para abrir caminho para uma literatura moderna e realista nos EUA, que começavam a se tornar o país mais poderoso do mundo. Mencken sabia escrever para um público amplo sem fazer concessões populistas de nenhuma espécie.

Wilson, que muito escreveu sobre Mencken ("Seu alvo era toda a vida intelectual de uma nação"), conseguiu ser ainda mais um modelo de jornalismo cultural moderno. Não tinha o "punch" verbal de Shaw e Mencken, mas escrevia num estilo elegante e formulou critérios rigorosos de análise sensível. Pode-se dizer que errou em alguns casos, como o de Joseph Conrad, mas não como Sainte-Beuve errava: seus erros foram poucos e não se deveram a preconceitos gerais.

Além de crítico e ensaísta lúcido e versátil – capaz de examinar o pensamento histórico da esquerda ou a linguagem moderníssima de James Joyce –, de ter escrito contos e romances e deixado diários com descrições e aforismos saborosos, Wilson também foi repórter de fôlego, como quando enviado pela *The New Yorker* para relatar a descoberta dos Manuscritos do Mar Morto, um conjunto de documentos supostamente sobre a época de Cristo encontrados numa caverna na Jordânia. Wilson tinha orgulho de se dizer "jornalista cultural", e suas poucas tentativas como professor foram um fiasco.

> "*Duas das tendências que estimularam mais controvérsia, ambas* vis-à-vis *métodos tradicionais e em conflito uma com a outra: naturalismo e simbolismo – culminados e fundidos na obra de Joyce no momento em que ele escreveu* Ulisses. *E havia também embutida em* Ulisses *uma exploração ou uma exploração paralela das tendências freudianas da psicologia que já haviam lutado elas mesmas por suas existências e que ainda podiam parecer sensacionais em ficção.* The Waste Land *veio à luz no mesmo ano que* Ulisses*: 1922; e o resultado foi uma daquelas crises que periodicamente fazem ferver o sangue da literatura desde a primeira noite de* Hernani *em 1830: uivos de denúncia, aplauso e defesa desafiadores, vingança final e triunfo. (...) Mas a aparição de* Finnegans Wake, *em vez de detonar uma batalha, foi recebida com calma e sem curiosidade.* (...) Finnegans Wake *saiu diretamente das mãos de Joyce*

para as mãos dos professores universitários, e hoje não é um assunto literário mas um objeto de pesquisa acadêmica."
(Edmund Wilson, "Thoughts on being bibliographed", 1943, in Classics & comercials.*)*

A revista *New Yorker*, em que Wilson foi a estrela nos anos 40 e 50, é capítulo obrigatório em qualquer história do jornalismo cultural do século XX. Criada em 1925, logo se tornou referência de classe, incisividade e humor, copiada mas nunca igualada em diversos lugares do mundo. Na primeira geração, revelou críticos mordazes como a também contista Dorothy Parker (que podia começar uma resenha da seguinte forma: "Este não é um livro para ser deixado de lado. É para ser jogado longe, com força") e Alexander Woollcott (modelo para o ardiloso personagem de George Sanders em *A malvada*), os humoristas Robert Benchley e James Thurber e os articulistas E.B. White e A.J. Liebling, que são considerados até hoje dois dos maiores jornalistas da história americana.

É difícil imaginar outra publicação em que, nos anos 70, uma crítica de cinema como Pauline Kael – ela também mordaz e estilosa – poderia ter tido a projeção que teve. Entre outros críticos que marcaram a história da *New Yorker* estão Lewis Mumford, de arquitetura, Arlene Croce, de dança, Whitney Balliett, de jazz, e Wilfrid Sheed, de literatura e outros assuntos.

A *New Yorker*, que também teve papel fundamental ao revelar grandes escritores (Irwin Shaw, J.D. Salinger, John Cheever, John Updike e muitos mais) e cartunistas (Al Hirschfeld, Saul Steinberg e um longo "etc."), foi ainda responsável por impulsionar o que hoje se convencionou chamar de jornalismo literário – que não é jornalismo sobre literatura, mas com recursos da literatura (descrições detalhadas, muitos diálogos etc.).

Foi ali que John Hersey escreveu em 1946 o que foi eleito como "a reportagem do século": *Hiroshima*. Foi ali que Lilian Ross, num perfil de Ernest Hemingway em 1950, fundou esse gênero do jornalismo moderno e abriu caminho para as invenções do "New Journalism". Foi ali que Truman Capote praticamente lançou a não ficção moderna em 1959 com *A sangue frio*, relato dos pensamentos de dois condenados à pena de morte. Foi ali que Kenneth Tynan, crítico de teatro inglês que brilhara nos anos 30 e 40 na *Spectator*, escreveu memoravelmente sobre atores e diretores como Laurence Olivier, Orson Welles e Greta Garbo ("O que vemos bêbados nas outras mulheres, vemos em Garbo sóbrios"). Foi ali que Joseph Mitchell, John McPhee, Calvin Trillin e Adam Gopnik, entre tantos outros ao longo de quase oito décadas, mantiveram viva a reportagem interpretativa, com teor subjetivo, pique narrativo e recursos da ficção como a atenção a detalhes e vozes.

O jornalismo literário, claro, não é invenção da *New Yorker*. Apenas tem sido praticado nela com excelência por esse tempo contínuo. O jornalismo literário vem desde os romancistas ingleses dos séculos XVIII e XIX, como Daniel Defoe e Charles Dickens, e é presença forte na literatura de americanos como Jack London, James Agee (também um grande crítico de cinema) e o citado Hemingway, que cobriu guerras e terremotos.

Um nome tão importante para o jornalismo cultural quanto os americanos Mencken e Wilson foi o escritor inglês George Orwell (1903-1950). Mais conhecido como romancista de *A revolução dos bichos* e *1984*, Orwell construiu marcos em pelo menos três gêneros jornalísticos: nos ensaios políticos (como *Meu país à esquerda ou à direita*), nas resenhas críticas (como *Lear, Tolstoi e o bobo*) e na reportagem literária (como *Atirando num elefante* e nos livros *Down and out in Paris and London*, sobre a vida dos mendigos, e *Homage to Catalonia*, sobre a Guerra Civil espanhola) .

Orwell é um modelo de escrita para jornalistas modernos, por unir clareza e incisividade na argumentação e fina subjetividade na descrição. Seu defeito é ver política em tudo: quando escreve sobre Jonathan Swift e Mark Twain, por exemplo, dá mais ênfase às suas idiossincrasias ideológicas (Swift era um conservador, Twain se deixou levar pelo sucesso como humorista) que à sua imaginação verbal. Episódios sobre a vida de Orwell, recentemente divulgados, confirmaram essa obsessão, como na lista de "criptocomunistas" (pessoas famosas de tendência socialista, como Chaplin, que eventualmente colaborariam com a causa soviética) que elaborou para o governo inglês. Mas Orwell deixou um legado jornalístico-literário imprescindível, inclusive por seu pensamento político, que sempre rejeitou dicotomias como esquerda e direita e sempre foi inimigo dos totalitarismos.

> "*Tolstoi não era um santo, mas tentou bastante fazer de si mesmo um santo, e os critérios que aplicava à literatura eram de outro mundo. É importante perceber que a diferença entre um santo e um homem comum é uma diferença de tipo, e não de grau. Ou seja, um não é para ser visto como forma imperfeita do outro. O santo, ao menos o "tipo de santo de Tolstoi, não quer melhorar a vida terrena: quer encerrá-la e pôr algo diferente em seu lugar. Uma expressão óbvia disso é a afirmação de que o celibato é 'mais elevado' que o casamento. (...) Não sabemos muito sobre as crenças religiosas de Shakespeare, e pelo que vemos em seus escritos seria difícil provar que ele tivesse alguma. Mas de modo algum ele era um santo ou candidato a santo: ele era um ser humano, e em muitos sentidos um ser humano não muito bom.*"
> (George Orwell, "Lear, Tolstoy and the Fool", 1947, in Selected essays.)

De resto, a política contaminou bastante o jornalismo cultural, sobretudo nos anos 30 e 40. Foi nesse período, sabidamente duro para os europeus, que Nova York ganhou espaço como centro intelectual graças a revistas como, além da *New Yorker*, a polêmica *Partisan Review* (fechada em 2003), onde escreviam os críticos literários Philip Rahv e Lionel Trilling, o crítico de cinema Dwight Macdonald e os críticos de arte Harold Rosenberg e Clement Greenberg, além de escritores europeus como Arthur Koestler e

Hannah Arendt e de grandes jornalistas como os próprios Wilson e Orwell. Mesclando trotsquistas e liberais e um interesse profundo em artes e filosofias, a revista influenciou profundamente o cenário intelectual, gerando filhas como a inglesa *Encounter*, mais conservadora, surgida nos anos 50 e fechada em 1991, e *The New York Review of Books*, tabloide que começou radical nos anos 60 e é até hoje o principal suplemento de livros e ideias dos EUA.

O grande concorrente jornalístico da *New Yorker* era a *Esquire*, que contava com colaboradores como o escritor Aldous Huxley, o crítico de teatro George Jean Nathan, ex-parceiro de Mencken e um revelador de autores modernos (como Eugene O'Neill), e o ficcionista Scott Fitzgerald, que ali publicou o ensaio sobre seu colapso nervoso, *The crack-up*. A revista também tinha humor, o desenho sensual de Varga e, nos anos 60, o jornalismo literário de Norman Mailer e Gay Talese, que, seguindo o estilo de Lilian Ross e Truman Capote, levaram a técnica da ficção para o jornalismo com uma abrangência poderosa, visível em livros como *Os exércitos da noite*, de Mailer, que descreve uma marcha de protesto contra a Guerra do Vietnã em 1967, e *Fama e obscuridade*, de Talese, que mescla perfis de famosos como o jogador de beisebol Joe DiMaggio e os de anônimos nada comuns.

> *"Aos 51, DiMaggio é um homem de aparência muito distinta, envelhecendo com a mesma suavidade que exibia no campo de jogo, impecável em sua roupa, as unhas tratadas por manicure, seu corpo de 1m85 parecendo tão esguio e hábil quanto era quando posou para a foto hoje pendurada no restaurante e que o mostra no Yankee Stadium dançando com o taco num 'pitch' de 20 anos atrás. Seus cabelos grisalhos estão rareando agora, mas pouco, e seu rosto ganhou vincos no lugar certo, e sua expressão, antes triste e assustada como a de um matador, está mais em repouso nestes dias. (...) DiMaggio suspeita que o repórter queira mexer em sua vida particular e na de sua ex-mulher, Marilyn Monroe. DiMaggio jamais toleraria isto. A memória de sua morte é ainda muito dolorosa para ele e, no entanto, porque ele a reserva para si mesmo, algumas pessoas são insensíveis a ela. Uma noite num clube uma*

mulher que tinha bebido muito se aproximou de sua mesa e, quando ele pediu para que ela não se sentasse, ela rebateu:
'*Está certo, afinal eu não sou a Marilyn Monroe.*'
Ele ignorou a observação dela, mas, quando ela a repetiu, ele respondeu, mal controlando sua raiva:
'*Não... Eu gostaria que você estivesse aqui, mas você não está.*'"
(Gay Talese, "The silent season of a hero", 1970,
in Fame and obscurity.*)*

Talese e Mailer – e a *Esquire* – são associados ao que se convencionou chamar de "New Journalism", esse estilo que leva ao máximo a mistura de história verídica e ritmo ficcional. Mas nenhum dos dois chegou às pirotecnias de Tom Wolfe, que na revista *New York*, suplemento do jornal *Herald Tribune*, fazia textos modernistas, cheios de cortes e efeitos, onomatopeias e metáforas, cunhando expressões como "radical chic" sobre o comportamento dos anos 60-70. Mais tarde, menos delirante, Wolfe fez livros de jornalismo como *Os eleitos*, sobre os primeiros astronautas americanos e sua conversão em heróis pela América, e fez romances como *Fogueira das vaidades*. Sem ele, não haveria o jornalismo deslavadamente autoral de nomes como Hunter S. Thompson, o inventor do "Gonzo journalism" na revista *Rolling Stone*, cuja observação factual termina quase sempre em segundo plano diante do confessionalismo ébrio.

Na Inglaterra contemporânea, o jornalismo de revista continuou vivíssimo com a *The Spectator*, em destaque. Mas a *Spectator* é lida e discutida, como era já no século XVIII, por seus colunistas (como Paul Johnson, Taki, Auberon Waugh e outros) e críticos, além de convidados para seções como o Diário, e menos por suas reportagens literárias. Outro bastião da crítica é o centenário *Times Literary Supplement*, que nos anos 20 foi muito importante para a divulgação dos movimentos modernistas e que até hoje é um modelo de equilíbrio entre a literatura e as outras artes e outros temas.

E a velha tradição dos críticos de arte ingleses continuou viva com autores como Kenneth Clark, que escreveu em jornais e revistas, foi diretor da National Gallery e fez uma famosa série de TV, *Civilização*.

A crítica, claro, continua a ser a espinha dorsal do jornalismo cultural, não só das revistas. Ela pode ser encontrada em várias publicações específicas mundo afora. Na França, por exemplo, os leitores de crítica de música não vivem sem *Le Monde de la Musique*, os de crítica literária sem a *Magazine Littéraire* e os de crítica de cinema sem *Cahiers du Cinéma*, a revista que lançou o movimento da "Nouvelle Vague" ao abrigar ensaios e resenhas de André Bazin, Eric Rohmer e François Truffaut. No México, a revista *Vuelta*, editada pelo maior ensaísta latino-americano do século XX, Octávio Paz, era referência crítica obrigatória. Na Itália, críticos de arte e arquitetura como Giulio Carlo Argan e Roberto Longhi produziram intensamente para revistas ensaísticas. E assim seria e é em diversos países, numa lista que não teria fim.

Com o passar do tempo, especialmente na segunda metade do século XX, a crítica começou a ocupar mais e mais espaço nos grandes jamais diários e revistas de notícia semanais, na chamada "grande imprensa". Embora não pudesse ter a extensão dos textos de uma revista segmentada e fosse obrigada a evitar excesso de jargões e citações, essa crítica logo ganhou poder, justamente por ser rápida e provocativa.

O jornal mais célebre do mundo, o *New York Times*, já teve nomes como Renata Adler, na crítica de cinema dos anos 70, Frank Rich, na crítica de teatro dos anos 80, e Jon Pareles, na crítica de música pop recente, que, sem exagero, decidiam muitas vezes o sucesso ou o fracasso de um filme, peça ou disco; e, mesmo quando a bilheteria batia recordes, os produtores não podiam eliminar os estragos causados à sua imagem nos círculos pensantes.

Um grande exemplo da crítica para o grande público é Robert Hughes, que há mais de trinta anos escreve para a revista *Time*, cuja tiragem é de dez milhões de exemplares. Verdadeiro herdeiro misto de Edmund Wilson e Kenneth Clark, esse crítico nascido na Austrália escreveu não um, mas diversos livros fundamentais, como *Barcelona*, *O choque do novo* e *Visões da América* (os dois últimos, convertidos em séries de TV excelentes). Sua produção jornalística tampouco fica atrás, seja nas resenhas para *Time* e também para a intelectual *New York Review of Books*, coligidas em *Nothing if not critical*, seja em polêmicas culturais como em *A cultura da reclamação*, em que protesta contra a politização das bolsas de arte. Sua capacidade de escrever com critérios exigentes e estilo sofisticado e ainda assim atingir grande número de leitores deve ser tomada como exemplo.

> *"Se se pode dizer de um artista que tenha parodiado, não apenas ilustrado, o* boom *de arte contemporânea dos anos 80, esse artista foi Jean-Michel Basquiat, que morreu de uma overdose de heroína em Nova York em agosto passado aos 27 anos. (...) A sua foi a história de um talento pequeno e despreparado que caiu no oba-oba da promoção artística, absurdamente superestimada por marchands, colecionadores, críticos e, não menos, por ele mesmo. Isso foi em parte porque Basquiat era negro; a então monocromática Arte Industrial Americana Tardia sentia a necessidade de se refrescar com um toque de 'primitivismo'. (...) Numa cultura mais sadia que a nossa, aos vinte anos Basquiat seria mandado para uma escola de arte para aprender a desenhar de verdade (e não fazer a notação pseudoconvulsiva que se tomou sua marca registrada) e, em geral, adquirir as disciplinas e habilidades sem as quais a boa arte não pode ser feita. Mas estávamos nos anos 80; em vez disso, ele se tomou uma estrela."*
> (Robert Hughes, "Requiem for a fiatherweight", 1988, in *Nothing if not critical*.)

Outra observação importante a fazer sobre as seções culturais das grandes publicações americanas é a presença constante, nelas, de escritores de porte como Gore Vidal, John Updike – um excelente crítico de livros e exposições – e Norman Mailer, cujos ensaios e resenhas são reunidos periodicamente em volumes que chegam a ultrapassar as mil páginas. Na crítica de música, por exemplo, as aparições do musicólogo e pianista Charles Rosen (autor de *O estilo clássico* e *A geração romântica*) no *New York Review of Books* se tornaram outro modelo de análise sensível.

Na Europa o jornalismo cultural é levado ainda mais a sério pela grande imprensa, sobretudo pelo ângulo da análise. A participação de intelectuais é intensa – na tradição de Malraux, Sartre, Ortega y Gasset, Mario Praz ou Walter Benjamin, atuantes colaboradores da imprensa – e os críticos ocupam posições de status dentro das redações ou na hierarquia das matérias. Jornais como *Le Monde*, *La Reppublica*, *El País* e *Frankfurter Allgemeine* e revistas como *Le Nouvel Observateur*, *L'Espresso* e *Der Spiegel*, todos têm seções culturais com colunistas de renome (Umberto Eco, Mario Vargas Llosa etc.) e críticos rebuscados (Roberto Cotroneo, Robert Maggiori etc.). Na Europa os intelectuais participam da vida pública mais do que nos EUA: são figuras fáceis na TV, como no programa *Apostrophe* de Bernard Pivot na França, e não raro vão para a política, como o crítico de arte Vittorio Sgarbi na Itália.

Quanto à Inglaterra, ela continua a ser pátria de grandes críticos. Alguns deles, é verdade, migraram para os EUA, como Cristopher Hitchens (*Vanity Fair*) e James Wood (*New Republic*). Mas lá atuam John Carey (*Sunday Times*) e Frank Kermode (*London Review of Books*), de literatura, William Feaver (*The Observer*) e David Sylvester (*Sunday Times*), de arte, e muitos outros. Escritores importantes como Martin Amis e Julian Barnes também escrevem resenhas e artigos para publicações dos dois lados do Atlântico. E as publicações econômicas como *Financial Times* e *The Economist* dão tratamento vip às suas seções culturais.

Além disso, nos últimos anos, o jornalismo cultural vem mais e mais se expandindo para os livros. Coletâneas de ensaios e críticas são mais corriqueiras, assim como projetos de reportagem feitos diretamente para livros. Muitos jornalistas têm se dedicado a escrever biografias, gênero que teve um *boom* editorial a partir da década de 1980. E a história cultural, nos mais variados formatos, desde biografias de cidades até relatos de encontros intelectuais, continua ganhando bastante espaço.

Também a Internet, na peneira, tem servido como caminho alternativo para o jornalismo cultural. Embora as tentativas de revistas culturais com alguma inteligência e sofisticação tenham fracassado ou apenas "empatado", esbarrando em questões e escala e financiamento, além de prescindirem do prazer táctil e prático que existe nas edições em papel, a demanda por esses assuntos é inequívoca. Incontáveis sites se dedicam a livros, artes e ideias, formando fóruns e prestando serviços de uma forma que a imprensa escrita não pode, por falta de interatividade e espaço.

Mesmo assim, em todos os países há uma noção de "crise" vigente. O jornalismo cultural, dizem os nostálgicos, já não é o mesmo. De fato, nomes como Robert Hughes hoje são mais escassos; revistas culturais ou intelectuais já não têm a mesma influência que tinham antes; críticos parecem definir cada vez menos o sucesso ou fracasso de uma obra ou evento; há na grande imprensa um forte domínio de assuntos como celebridades e um rebaixamento geral dos critérios de avaliação dos produtos. O jornalista cultural anda se sentindo pequeno demais diante do gigantismo dos empreendimentos e dos "fenômenos" de audiência. As publicações se concentraram mais e mais em repercutir o provável sucesso de massa de um lançamento e deixaram para o canto as tentativas de resistência – ou então as converteram também em "atrações" com ibope menor mas seguro.

Esses assuntos serão discutidos nos capítulos II e III, mas o conhecimento da história escrita pelos grandes críticos e repórteres culturais pode servir para dois lembretes: primeiro, essa história não parou de ser escrita, e os grandes nomes de hoje nada devem ao passado, embora proporcionalmente influam menos; segundo, há espaço para recuperar parte dessa influência, pois o bombardeio de dados e informações da era eletrônica criou uma carência ainda maior de análises e comentários, que suplementem argumentos, perspectivas e contextos para o cidadão desenvolver senso crítico e conectar disciplinas.

INSTANTES BRASILEIROS

O jornalismo cultural no Brasil do século XX segue uma história semelhante ao de outros países, mas repleta de lances peculiares.

Depois da geração *fin-de-siècle* de Machado de Assis e José Veríssimo, os jornais e as revistas vão dar mais espaço ao crítico profissional e informativo, que não só analisa as obras importantes a cada lançamento, mas também reflete sobre a cena literária e cultural. Dadas as dificuldades de viver de literatura no Brasil (o que persiste até hoje), muitos escritores passaram primeiro pelo jornalismo e pela crítica. Um dos mais famosos foi Lima Barreto, que escreveu o ferino *As recordações do escrivão Isaías Caminha* para satirizar os blefes e as ignorâncias vigentes numa redação.

Já Mário de Andrade, o poeta de *Pauliceia desvairada* e romancista de *Macunaíma*, desenvolve uma carreira particular como crítico e ensaísta, a qual por si só garantiria seu nome nas letras brasileiras. Escreve preferencialmente sobre música e literatura, mas também faz incursões importantes nas artes visuais, para não falar de temas culturais genéricos, como o folclore e a política cultural. Suas críticas de concerto publicadas nos anos 30 pelo então *Diário de S.Paulo* têm também um valor mais restritamente jornalístico ao servirem de crônicas da cidade, escritas em primeira pessoa e preocupadas com sua vida artística.

Em 1928 surgiu uma publicação moderna (da qual Mário de Andrade foi colaborador) que nenhuma história do jornalismo cultural pode deixar de citar: a revista *O Cruzeiro*. Embora haja muita polêmica sobre os números – sua tiragem teria chegado a setecentos mil exemplares, mas apenas no número especial sobre o suicídio de Getulio Vargas em 1954 – e sobre os métodos suspeitos de reportagem (como as de David Nasser, em parceria com o documentarista Jean Manzon), o fato é que a revista marcou época, lançou o conceito de reportagem investigativa e deu enormes contribuições à cultura brasileira ao publicar contos de José Lins do Rego e Marques Rebelo, artigos de Vinicius de Moraes e Manuel Bandeira, ilustrações de Anita Malfatti e Di Cavalcanti, colunas de José Cândido de Carvalho e Rachel de Queiroz, além do humor de Péricles (O Amigo da Onça) e Vão Gogo (vulgo Millôr Fernandes). Nos anos 30 e 40, *O Cruzeiro* seria a revista mais importante do Brasil por sua capacidade de falar a todos os tipos de público.

É também dos anos 40 uma das raras incursões do jornalismo brasileiro na reportagem literária. Na revista *Diretrizes*, dirigida por Samuel Wainer, Joel Silveira retratou o comportamento dos grã-finos paulistanos. A raridade desse gênero no Brasil se explica pela economia (revistas com textos longos sempre foram vistas como comercialmente inviáveis), mas também pela cultura (o jornalismo cultural brasileiro amadureceu tardiamente).

Aqui, porém, cabe lembrar o papel da crônica na história do jornalismo cultural brasileiro. Se a tradição local em jornalismo literário – reportagens mais longas e interpretativas, perfis etc. – é pequena, o gosto nacional pelas crônicas, até certo ponto, sempre foi uma forma de atrair a literatura para o jornalismo, praticada por jornalistas, escritores e sobretudo por híbridos de jornalista e escritor. De Machado de Assis a Carlos Heitor Cony, passando por João do Rio, Carlos Drummond de Andrade, Rubem Braga, Paulo Mendes Campos, Otto Lara Resende, Ivan Lessa e outros, a crônica sempre teve espaço fixo nas seções culturais de jornais e revistas brasileiros e, portanto, é uma modalidade inegável do jornalismo cultural brasileiro.

Não é, porém, uma exclusividade da literatura nacional, como pensam muitos. Um grande cronista americano, por exemplo, foi o citado E.B. White; e na imprensa de língua espanhola existem muitos até hoje, como o escritor Arturo Perez Reverte no *El País*. Mas a crônica vicejou no Brasil, especialmente no Rio de Janeiro, por uma combinação de fatores, como a mística da cidade, a própria dificuldade de os escritores se estabelecerem sem a imprensa e a cordialidade (comportamento movido pelo coração) da cultura brasileira. Em alguns casos, como no seguinte, a crônica pode até mesmo assumir o tom de uma reflexão, o que Rubem Braga fazia como ninguém:

> *"Eu conheço o quarto onde Graciliano Ramos escreveu o romance* Vidas secas, *e sei mais ou menos a situação em que ele escreveu. Essa situação determinou a própria estrutura do romance. Tem, portanto, a sua importância para o público. Quem pega no romance logo repara. Cada capítulo desse pequeno livro dispõe de uma certa autonomia, e é capaz de viver por si mesmo. Pode ser lido em separado. É um conto. Esses contos se juntam e fazem um romance. (...) Quase tão pobre como o Fabiano, o autor fez assim uma nova técnica de romance no Brasil. O romance desmontável."*
> *(Rubem Braga, "Vidas secas", 1938, in* Diário de notícias*.)*

A grande época da crítica em jornal no Brasil começaria também nos anos 40 e se estenderia até o final dos anos 60. Nesse período se distinguem dois nomes: Álvaro Lins (1912-1970) e Otto Maria Carpeaux (1900-1978). São dois críticos que combinam o jornalismo e o enciclopedismo, aliando ainda visões políticas sensatas e apurado estilo ensaístico. Ambos trabalharam no *Correio da Manhã* e ajudaram a dar ao jornal sua merecida fama de bem escrito e independente. Não estavam sós: ninguém menos que Graciliano Ramos (que começou a limar o beletrismo da imprensa, ao vetar termos como "outrossim") e Aurélio Buarque de Holanda eram redatores do jornal; Carlos Drummond de Andrade era colunista; Antonio Callado começou ali em 1937 sua carreira de repórter e cronista etc.

Lins, que foi o redator-chefe do jornal entre 1940 e 1956, estabeleceu um padrão com seu Rodapé Literário, fazendo a chamada crítica "impressionista" – em que o crítico descreve em primeira pessoa suas impressões sobre o livro –, mas com um padrão de exigência e argumentação inéditos na imprensa brasileira, porque livres das forças do compadrio e da conveniência. Numa carreira em que foi ainda professor, embaixador e ativista político, Lins dirigiu também revistas e suplementos literários e construiu uma carreira de intelectual exemplar, não só pela qualidade de suas avaliações, mas também pela capacidade de envolver os leitores – que chamava de "amigos de ideias" – no mundo do pensamento com uma escrita ágil e direta.

Pode-se dizer o mesmo de Carpeaux, nascido Karpfen na Áustria e imigrado para o Brasil em 1939. Mas Carpeaux, que escrevia no *Correio* e também nos *Diários Associados* de Assis Chateaubriand e se naturalizou brasileiro em 1944, foi ainda mais rigoroso e abrangente que Lins. Carpeaux era um mestre do ensaio curto, da resenha ensaística, que ao mesmo tempo inicia o leitor no conhecimento daquela obra e a discute com originalidade e profundidade. Realizou no Brasil pré-moderno aquela velha proposta da *Spectator* de 1711, de "tirar a filosofia dos gabinetes e bibliotecas" e levar para os leitores educados, não necessariamente especializados.

Autor de livros como *História da literatura ocidental* e *Uma nova história da música*, Carpeaux, que chamou Lins de "o crítico de coragem", foi para muitos artistas e intelectuais nacionais, via imprensa, o professor de civilização que não tiveram. Também refletiu sobre os destinos do Brasil corno nação, fugindo das dicotomias vigentes no debate local entre um país fechado e autárquico e um país dependente e colonizado. E refletiu perenemente sobre a literatura e a cultura brasileiras, derrubando mitos (como o da "essência barroca") e selecionando os autores de maior perenidade e universalidade (Machado, Graciliano, Drummond).

> "Carlos Drummond de Andrade, representante dum novo verbo lírico, é um poeta muito diferente, e o 'bom gosto' mal educado não basta para interpretar devidamente essa poesia, feita com a maior precisão duma inteligência superior. Não é poesia em imagens, à qual muitos estão acostumados; é poesia em conceitos. (...) Como toda poesia conceptualista moderna, está ameaçada de dois perigos: tornar-se livresca, 'bookish', como a de T.S. Eliot, ou cair em indisciplina formal como a de E.E. Cummings e Wallace Stevens. Carlos Drummond de Andrade está preservado disso pelo acordo raro de certa ingenuidade rústica com a mais rigorosa disciplina intelectual. (...) Desde então, defende a posição, que lhe custou, com a arma suprema da autodefesa do indivíduo: com o humor satírico, que, na sua poesia, não passa dum incidente, mas é também índice significativo do seu dramatismo interior."
> (Otto Maria Carpeaux, "Fragmento sobre Carlos Drummond de Andrade", in Ensaios reunidos.)

Além de Lins e Carpeaux, muitos críticos importantes marcaram presença na imprensa brasileira nos anos 40 e 50, como Sergio Buarque de Holanda, Augusto Meyer, Brito Broca e Franklin de Oliveira.

O mesmo *Correio da Manhã* criou nos anos 50 um caderno cultural dominical, o *Quarto Caderno*. Por ele passariam, depois de reformulação na década seguinte, críticos de cinema como Moniz Viana e José Lino Grunewald (até hoje, dois dos maiores críticos de cinema da história do país), polemistas como Paulo Francis (que foi editor do *Quarto Caderno* no auge, em 1967 e 68) e Carlos Heitor Cony (cuja coluna Da Arte de Falar Mal em cinco anos o levou a seis prisões), jovens como Ruy Castro e Sergio Augusto e veteranos como o dramaturgo e cronista Nelson Rodrigues.

Mais para o final dos anos 50, publicações como o *Jornal do Brasil*, *Última Hora* e *Diário Carioca* já tinham estabelecido outro padrão gráfico e editorial. O forte do *Correio da Manhã* era a opinião. No *JB*, que começara a modernização em 1956, deu-se mais valor à reportagem e ao visual; ali foi praticamente instituído o lide no jornalismo brasileiro, graças à direção de Jânio de Freitas. E logo em seguida o lendário *Caderno B* é criado, com edição de Reynaldo Jardim e diagramação de Amílcar de Castro, e se torna o precursor do moderno jornalismo cultural brasileiro, com crônicas de Clarice Lispector e Carlinhos de Oliveira, crítica de teatro de Bárbara Heliodora e outros trunfos; no Suplemento Dominical, Ferreira Gullar, Mario Faustino, Grunewald e os concretistas de São Paulo (Augusto e Haroldo de Campos e Décio Pignatari) faziam a cabeça da nova geração.

Em 1956, outro marco histórico é criado, agora em São Paulo: o *Suplemento Literário* de *O Estado de S.Paulo*, dirigido por Décio de Almeida Prado. Reunindo intelectuais que já haviam feito a revista *Clima* nos anos 40 – Antonio Candido (literatura), Paulo Emílio Salles Gomes (cinema), Lourival Gomes Machado (artes visuais) – e acrescentando jovens valores, como Sábato Magaldi, o *Suplemento* lançou um modelo que seria mais tarde seguido por todos os cadernos de livros (como *Ideias*, do *JB*, os extintos *Folhetim* e *Letras*, da *Folha de S.Paulo*, e muitos mais) e que Décio de Almeida Prado resumiu da seguinte maneira: "Não exigiremos que ninguém desça até se pôr à altura do chamado leitor comum, eufemismo que esconde geralmente a pessoa sem interesse real pela arte e pelo pensamento. (...) Uma publicação que se intitula literária nunca poderia transigir com a preguiça mental, com a incapacidade de pensar, devendo partir, ao contrário, do princípio de que não há vida intelectual sem um mínimo de esforço e disciplina" – esforço esse, por sinal, que não reduz e sim intensifica o prazer. Foi esse tipo de postura que fez dos anos 60 a década mais memorável do jornalismo cultural brasileiro.

Paulo Francis (1930-1997) é um grande nome surgido desse período. Começou a carreira como crítico de teatro no *Diário Carioca* em 1957 e logo bagunçou o coreto cultural brasileiro. Propondo um teatro com mais autores nacionais e mais profissionalismo internacional, rompeu com os eufemismos e clubismos da crítica e tentou fazer pelo Brasil o que Shaw fizera pela Inglaterra sessenta anos antes. Depois de sete anos como crítico regular, Francis ampliou seus horizontes para o jornalismo cultural em geral e para o jornalismo político em particular, tornando-se estrela do *Última Hora* (1962-1964) com a coluna Paulo Francis Informa e Comenta. E assim permaneceu durante mais de três décadas, influenciando gerações sucessivas e atingindo uma visibilidade que, em seu último decênio de vida, chegou a duas páginas inteiras fixas por semana, mais comentários na *TV Globo* e mesa-redonda no canal *GNT*.

Ainda nos anos 60, Francis participou de duas empreitadas em forma de revista mensal que deixaram muitas saudades: *Senhor* e *Diners*. Em ambas há uma mescla saborosa de reportagens interpretativas, crítica cultural, inéditos literários, humor, roteiro e seções de moda e comportamento. Seu período à frente da *Senhor*, 1959-1962, com Carlos Scliar como editor de arte, entrou para a história do jornalismo, inspirado no modelo da *Esquire*. Foi ali que autores como Graciliano Ramos, Guimarães Rosa, Clarice Lispector e Jorge Amado publicaram algumas de suas melhores novelas; e traduções caprichadas colocaram em circulação no Brasil autores americanos como J. D. Salinger. Já a *Diners*, espécie de segunda vinda daquela *Senhor*, é um culto secreto: tendo durado pouco mais de um ano (1967-1968), é pouco conhecida mas muito admirada; jovens jornalistas como Telmo Martino, Flavio Macedo Soares e Alfredo Grieco brilharam ali.

Ainda em 1969, Francis participa de outro experimento jornalístico, *O Pasquim*, que começa como tabloide semanário de humor, política e cultura e, com a força do deboche e do talento de sua equipe e entrevistas famosas com Leila Diniz ou Graham Greene, chega a duzentos mil exemplares em alguns meses. Ele, Millôr Fernandes, Jaguar, Ziraldo e Sergio Augusto eram os que mais davam o tom na fase inicial, que, embora numa publicação "alternativa", mudou a história de todo o jornalismo brasileiro, ao modernizar a linguagem – mais coloquial e personalista – e encarnar uma resistência pluralista. Com as prisões de muitos deles pela ditadura (Francis foi preso quatro vezes em dois anos), as brigas internas e (ligados a elas) os problemas financeiros, a fase dourada foi curta. Só haveria um período de verdadeiro renascimento com Ivan Lessa, em meados dos anos 70.

Também nos anos 70 um semanário que, nos moldes de suplementos como o *New York Review of Books*, fez sucesso com a esquerda intelectualizada foi *Opinião*, editado em seu melhor período por Sergio Augusto e com Francis entre os colaboradores.

Desde 1971 Francis já estava autoexilado em Nova York. Depois de uma fase de dificuldades, vivendo de *freelances* (também para revistas como *Status* e *Vogue*, além do *Pasquim*), de lá fez história como colunista e correspondente da *Folha de S.Paulo* a partir de 1977, da TV Globo a partir de 1981 e de *O Estado de S.Paulo* e *O Globo* a partir de 1990. Com uma escrita contundente e engraçada, que viciava admiradores e detratores igualmente, Francis chegou em seu Diário da Corte, duas vezes por semana, ao auge naquilo que tinha de melhor: o comentário cultural. Quando emitia opinião sobre livros, filmes e peças, comunicava um gosto pela arte que contaminava os leitores e os tirava de seu comodismo habitual.

"Tchecov não é o pai de Greta Garbo. A observação pode parecer desnecessária, mas, se o leitor tem alguma experiência de espetáculos feitos sobre o dramaturgo, sabe do que estou falando. O ar vago, as crises de languidez, a pseudoespiritualidade etc. (...) Tchecov é viril, espontâneo, esperto, natural. Este excesso de adjetivos é justificado por extremos opostos a que foi conduzido por seus deturpadores. (...) O vital em Tchecov é sua capacidade de anotar a fala humana, com todas as variações de ritmo e de cadências, com toda fragrância, sem que se sinta no seu método, contudo, qualquer esforço de literalização. É claro que esse esforço existe,

> *sob um processo de condução de sentido e de imagens, de seleção dos vocábulos, dos mais rigorosos. O triunfo da arte de Tchecov está em que o dramaturgo conseguiu disfarçar tão bem o ato de criação."*
> *(Paulo Francis, "Tchecov e seus admiradores", 1958, in* Opinião Pessoal.*)*

Foi só nos anos 80 que os dois principais jornais paulistas, a *Folha de S.Paulo* – que entrou em ascensão depois do movimento das Diretas-Já, em 1984 – e o centenário *O Estado de S.Paulo*, consolidaram seus cadernos culturais diários, a *Ilustrada* e o *Caderno 2*, em cujas contracapas Francis teve sua coluna. Os dois cadernos fizeram história de meados dos anos 80 até o início dos anos 90, sintonizados com a efervescência cultural que a cidade vinha ganhando e com o espírito de abertura democrática do país.

A *Ilustrada* ficou famosa por seu gosto pela polêmica – como a que Francis e Caetano Veloso travaram em 1983 – e por sua atenção à cultura jovem internacional, então em plena ebulição. Além de críticos incisivos e articulistas brilhantes (como Ruy Castro e Sergio Augusto), além de colunistas (Francis, Décio Pignatari, Tarso de Castro, Gerardo Mello Mourão), a reportagem característica dos cadernos de "variedades" tomou lugar – a reportagem que apresenta um nome ou uma tendência que está chamando ou deveria chamar atenção do público. No início, essas reportagens tinham tom autoral; ou seja, o autor, *misto* de repórter e crítico (Pepe Escobar, Matinas Suzuki Jr., Antonio Gonçalves Filho, Luís Antônio Giron, Bernardo Carvalho, Nelson Ascher), endossava opinativamente aquilo que anunciava.

> *"A rigor, todos os habitantes da noite infernal de Fitzgerald sofrem da mesma síndrome de Abe North, o compositor bêbado e amigo fracassado do casal central. Ou seja, são todos personagens em decomposição. Abe North é um 'decompositor'. Dick Diver, seu melhor amigo, é um psiquiatra que se apaixona pela bela, rica e esquizofrênica*

Nicole Warren, sexualmente violada pelo pai. Para usar uma imagem do próprio Fitzgerald, são todos como bolhas de sabão produzidas por um demiurgo. Refletem com facilidade a luz do sol mas são frágeis, efêmeras e transparentes. (...) O roteirista Dennis Potter é econômico em metáforas. Resolve tudo numa cena de visita a um cemitério de combatentes anônimos da Primeira Guerra. Ao observar uma mulher que tenta localizar o irmão morto em meio a milhares de cruzes brancas, o psiquiatra sugere que ela deposite as flores junto ao portão de entrada. É ali que acaba o mito da individualidade. (...) Os críticos, na época do lançamento de Suave é a noite (1934), *não perceberam. Acharam o livro esnobe e irritante."*

(Antonio Gonçalves Filho, "TV Cultura exibe Suave é a noite, *a falência emocional de Fitzgerald", 1989, in* Folha de S.Paulo.*)*

O caderno manteve essa variedade e quentura até meados dos anos 90, quando o peso relativo da opinião diminuiu sensivelmente, e a agenda passiva começou a se tornar dominante.

O auge do *Caderno 2* foi no final dos anos 80. Na primeira geração, Wagner Carelli, Zuza Homem de Mello, Enio Squeff e outros também esquentavam a pauta e falavam com conhecimento de causa sobre diversos assuntos. Na turma seguinte, dirigida por José Onofre, um crítico de cinema e literatura dono de um texto excelente, ganharam destaque Ruy Castro – que a partir de 1989 começa a publicar livros, como *Chega de saudade*, uma história da Bossa Nova, e *O anjo pornográfico*, biografia de Nelson Rodrigues – e Telmo Martino, além de Francis, e alguns novos talentos. Enquanto a Ilustrada dava mais atenção ao cinema americano e à música pop, o *Caderno 2* fazia uma dosagem maior com literatura, arte e teatro – distinção que permanece mais ou menos até hoje, sem a mesma qualidade de texto e a mesma força de opinião.

Outra característica dos anos 90 é a presença cada vez maior de assuntos que não fazem parte das chamadas "sete artes" (literatura, teatro, pintura, escultura, música, arquitetura e cinema), como moda, gastronomia e design. Mas isso será discutido no próximo capítulo.

CAPÍTULO II

De polos e tribos

PITADAS DE TEORIA

O jornalismo cultural moderno vive crises de identidade frequentes, sobretudo a partir da metade do século XX. E isso já é curioso. Desde o surgimento dos chamados "meios de comunicação de massa" debate-se o papel do jornalismo em face dessa realidade. Além do rádio, que no Brasil teve função histórica ainda pouco estudada – não só na distribuição de informações, mas também na formação de um repertório nacional comum, como no caso das novelas –, o cinema foi o principal veículo de arte de massa, crescentemente influente nos anos 20, 30 e 40. E a partir dos anos 50, com a democratização da TV, a produção de obras culturais em escala atingiu uma força, uma presença social, um impacto sobre os hábitos e valores de todas as classes que não pode ser subestimado, como sabe qualquer brasileiro que se detiver sobre a história da Rede Globo desde sua fundação em 1965.

Ora, como se viu no capítulo anterior, a história do jornalismo cultural é parte integrante dessa mesma história. As revistas culturais se multiplicaram a partir dos anos 20 e as seções culturais da grande imprensa diária. ou semanal se tornaram obrigatórias a partir dos anos 50; pode-se dizer, portanto, que acompanharam os momentos-chave de ampliação da tal "indústria cultural", numa escala que hoje converteu o setor de entretenimento num dos mais ativos e ainda promissores da economia global. E por um motivo óbvio: o jornalismo é, ele mesmo, personagem importante dessa "era da reprodutibilidade técnica", como dizia o pensador Walter Benjamin.

Benjamin foi um dos filósofos da chamada Escola de Frankfurt, à qual pertenceram também autores como Horkheimer e Adorno. Para esses marxistas, a indústria cultural – o complexo de produções de entretenimento e lazer feitas para o consumo em larga escala – era fruto do sistema capitalista e, como tal, porta-voz da ideologia burguesa, da ideologia que, a serviço dos exploradores da mão de obra proletária, serviria como cortina de fumaça para a realidade social, para inculcar nos trabalhadores os valores da classe dominante, para conformá-los numa hierarquia de patrões e assalariados que jamais deveria ser convulsionada. Apesar de sua inteligência e erudição, esses pensadores chegaram ao ponto, como Adorno na análise de música, de fazer ressalvas à obra de compositores como Mozart porque encarnaria a ordem burguesa.

Benjamin, o mais aberto deles, soube mostrar como valores simbólicos estão em jogo desde nos brinquedos infantis até nos esportes olímpicos, assim como Roland Barthes, em suas *Mitologias*, faria mais tarde com hábitos como o bife com batatas e a leitura de horóscopos. Benjamin esboçaria uma teoria, em *A obra de arte na era da reprodutibilidade técnica*, de que a arte em tempos industriais perdeu sua "aura", tornando-se produto para consumo, para consolo instantâneo, não mais para reflexão ou perturbação. Mas isso esbarra na simples verificação de que há muitas obras de arte feitas para o grande público que têm qualidades sólidas, que são tão densas ou agudas quanto muitas de outras épocas da civilização; e também na de que essa tal indústria cultural não é monolítica assim, a cabresto do poder econômico, e vem se tornando mais segmentada e variada, deixando até menos órfãos aqueles que prezam obras duradouras.

O jornalismo, que faz parte dessa história de ampliação do acesso a produtos culturais, desprovidos de utilidade prática imediata, precisa saber observar esse mercado sem preconceitos ideológicos, sem parcialidade política. Por outro lado, como a função jornalística é selecionar aquilo que reporta (editar, hierarquizar, comentar, analisar), influir sobre os critérios de escolha dos leitores, fornecer elementos e argumentos para sua opinião, a imprensa cultural tem o dever do senso crítico, da avaliação de cada obra cultural e das tendências que o mercado valoriza por seus interesses, e o dever de olhar para as induções simbólicas e morais que o cidadão recebe.

No momento atual, o jornalismo cultural não tem conseguido realizar essa função com clareza e eficácia, por variados motivos que serão vistos. Mas o primeiro e principal deles tem a ver com esse mesmo debate sobre os critérios para avaliar uma produção cultural que é cada vez mais numerosa e diversificada e economicamente relevante. Trata-se das polarizações grosseiras a que ele tem sido submetido. O jornalismo cultural pode sofrer crises de identidade frequentes, e é bom que sofra – até porque, como na arte, a condição moderna é "crítica", isto é, envolve sinais de crise, é instável, cíclica, plural –, mas as dicotomias fáceis só lhe têm feito mal. Recuperar um pouco ao menos de sua capacidade seletiva, de seu poder de influência, implica antes de mais nada escapar a oposições como as mostradas a seguir, todas estreitamente ligadas entre si.

O ELITISMO E O POPULISMO

Em 1996, a Secretaria Municipal de Cultura de Belo Horizonte realizou uma ampla pesquisa sobre hábitos e valores culturais na cidade. Um dos resultados mais curiosos foi a resposta à pergunta: "Um filme de Steven Spielberg é cultura?" Para mais de dois terços dos entrevistados, não. *Tubarão, Indiana Jones e ET* – nem se citem

A lista de Schindler e *Inteligência artificial* – não são cultura. A pesquisa não perguntava o que, então, se poderia dizer que esses filmes são. Mas é fácil imaginar: a resposta seria "entretenimento" ou "lazer".

Não é preciso muito debate para ver que essa divisão é nociva. É óbvio que um filme de Spielberg é cultura, por lidar com signos e valores, e, só para dar uma ideia, existe já uma vasta literatura psicanalítica com interpretações sobre *ET*. O que acontece, como mostrou a pesquisa mineira, é que a maioria das pessoas associa "cultura" a algo inatingível, exclusivo dos que leem muitos livros e acumularam muitas informações, algo sério, complicado, sem a leveza de um filme-passatempo.

Eis, portanto, uma prova de como os extremos se tocam. Pois qual é o mal do elitismo? Se entendermos essa palavra como a crença de que apenas os "eleitos" ou "privilegiados" têm capacidade de adquirir conhecimento e sofisticação, é fácil entender que se trata de uma oposição à democratização da cultura, ou ao menos de um desdém por ela. Ou seja: nesse sentido, elitistas e uma boa parte da população estão de acordo. Não é engraçado?

Há um problema em usar o termo "elite" de modo pejorativo. Afinal, uma coisa ser de "elite" significa ter muita qualidade, estar entre as melhores em seu departamento. Logo, a música de um Pixinguinha – negro, pobre, com pouca educação formal – é elitista, porque se distingue consistentemente das outras por sua força expressiva e elaboração técnica, assim como Pelé foi um futebolista de elite, muito acima da média. Seria mais indicado dizer que aqueles que acham que o cinema de Spielberg não é cultura por não estar à altura dos grandes filmes praticam, isso sim, o esnobismo.

Aqui entra também a questão sobre os motivos que levam muitas das pessoas menos instruídas a terem medo da cultura, da aura impenetrável da cultura. Até certo ponto, é positivo que elas a vejam como algo ainda a ser alcançado, que exige esforço, estudo, leitura. É melhor isso do que achar que a cultura se limita aos grandes sucessos de público como os filmes de Spielberg. Mas

na verdade o resultado dessa visão, desse preconceito às avessas, é evidentemente um bloqueio, é a desistência, o "nunca vou chegar lá". Foi isso que fez o jornalista Sergio Augusto lançar um mote irônico: "Precisamos democratizar o elitismo".
O problema, no entanto, não é apenas saber chegar lá. Cada publicação da imprensa tem um público-alvo e deve se concentrar em falar com ele, sem abrir mão de tentar contribuir com sua formação, com a melhora do seu repertório. Não se deve imaginar por exemplo que um jornal diário, com suas responsabilidades sociais e institucionais, vá do dia para a noite falar com a chamada grande massa, bastando alguns recursos de didatismo e brevidade.
Não foram poucos os que tentaram e se deram mal, no Brasil ou em outros países. Primeiro, a imprensa escrita não tem o apelo da TV, senhora dos hábitos da maioria (calcula-se que, em média, a população dos EUA veja quatro horas de TV por dia), e ao mesmo tempo pode se diferenciar da TV justamente por sua natureza de aprofundamento, de argumentação. Segundo, a imprensa escrita corre o risco de, na banalização, perder o público qualificado que possui, que não se contenta com explicações maniqueístas, com escândalos tratados de forma vulgar e leviana, com a fofocaiada que faz a fortuna dos tabloides sensacionalistas em muitos países ricos.
Agora, quando se fala a um público mais qualificado, há a vantagem do efeito multiplicador. Embora a TV ganhe fácil em instantaneidade e impacto, ela ainda continua a se pautar muito pela imprensa escrita. E as pessoas que tomam decisões na sociedade e/ou fazem parte daquilo que se convencionou chamar de "formadores de opinião" costumam ler a imprensa séria, mais equilibrada e instrutiva. Esse público no Brasil, por sinal, poderia ser bem maior, já que os jornais e as revistas mal chegam a 2% da população e, de fato, vêm perdendo essa já pequena fatia nos últimos anos.
O populismo não é apenas um possível tiro no pé das publicações que já têm um público qualificado. É uma distorção de algumas

realidades culturais também. Um de seus motes diz que "se uma coisa faz sucesso, é porque é boa". Há dois equívocos aí. Primeiro, é preciso definir o que é uma coisa boa. Se uma coisa boa for aquela que tem qualidades intrínsecas, que não dependem de modismos, então muita coisa de sucesso não é boa, porque é esquecida em alguns meses e substituída por outra. O outro equívoco é supor que não existam várias modalidades de sucesso. Uma telenovela em horário nobre, por exemplo, é sempre um sucesso garantido, até porque é monitorada e alterada de acordo com pesquisas. Mas uma grande enquete popular dificilmente mostraria muito desacordo sobre quais foram as melhores telenovelas dos últimos trinta anos. E a grande indústria chamada Hollywood está repleta de trabalhos que preenchiam todos os requisitos da suposta "fórmula do sucesso" e mesmo assim fracassaram.

Além disso, obras de arte de qualidade não são comuns, são minoritárias. Nem se fale da raridade de criadores como Pixinguinha e Pelé: os Djavans e os Denílsons já não são numerosos. É preciso ter em mente que o cidadão, especialmente nas grandes cidades, é bombardeado com "ofertas" culturais. Ele certamente não tem tempo suficiente para ler, ver e ouvir tudo o que ocorre – para não falar de que está preocupado em usar suas horas de folga também para estar com a família, praticar exercícios etc. Precisa selecionar. O filtro jornalístico, porém, tem falhado em método e eficácia. Os jornais brasileiros, em particular, são muito condescendentes: basta você olhar um roteiro de filmes, por exemplo, e verificar que a maioria deles recebe cotações altas (bom, muito bom e excelente).

O resultado é que o critério de seleção termina se baseando em motivos quase extra-artísticos. Um desses motivos é o gênero: há os indivíduos que só leem romance policial, os que só ouvem jazz, os que só querem saber de cinema "de arte", os que só gostam de livro de autoajuda etc. Não resta dúvida de que esse critério é nocivo, pois limita e vicia a sensibilidade. O mesmo vale para outro motivo que costuma determinar as escolhas de programa cultural:

há os que não gostam de filmes "tristes", os que não gostam de livros grandes, os que só ouvem música dançante. Todas essas opções têm mais a ver com juízos prévios, fundamentados não na experiência passada, mas no estilo de vida. Há ainda os inúmeros indivíduos que escolhem o que ver por causa dos atores ou cantores em questão, baseados na lógica da fama. E nem é necessário falar nos mais diversos preconceitos – diferenças bairristas, políticas, sexuais etc. – que fecham a mente para outras visões de mundo.

Toda publicação, portanto, tem um recorte a propor para seu leitor – não só um recorte da agenda de eventos culturais, mas também o de um conjunto de olhares sobre as tendências do momento em relação ao passado, seus ganhos e perdas. É natural que uma revista como a *The New Yorker* tenha um nível de exigência muito mais alto do que, digamos, o de uma revista de bordo. Mas é preciso acentuar que uma revista como a *The New Yorker* não é elitista no sentido algo ideológico que se deu ao termo, não faz suas opções em nome de uma classe intelectualmente "superior", com aversão ao que atinge "a massa". Apenas elege, expondo com clareza e calor os fundamentos dessa eleição, aquilo que seu leitor está interessado em saber e discutir.

Do outro lado, publicações que visam grandes vendas ou então se dirigem a segmentos específicos não precisam se limitar a endossar aquilo que imaginam que seu público vá querer ou então ignorar qualquer produto que pareça fora do universo do leitor ou do tema editorial. Podem muito bem tomar um candidato ao sucesso – um filme de Spielberg, digamos – e mostrar, se for o caso, que ali há mais coisas do que normalmente o consumidor apreende, concentrado que costuma estar na "historinha humana" que é contada. E podem muito bem apresentar para esse público algo que se supõe muito sério ou complexo para ele, afinal a cultura é cheia de exemplos de produtos – como o livro *Rumo à estação Finlândia*, de Edmund Wilson, best-seller quando lançado no Brasil neodemocrático de 1986 – que fizeram muito mais sucesso que o esperado.

Na verdade essas fronteiras são muito mais nebulosas e irrelevantes do que se supõe geralmente. O cinema hollywoodiano, para ficar num setor que é a própria metáfora da tal indústria cultural, vive se alimentando de grandes livros ou biografias de grandes criadores, para não falar de compositores importantes que elaboram suas trilhas sonoras. Um crítico de cinema vai estar em maus bocados, portanto, quando estiver diante de um filme sobre um gênio da matemática como John Nash *(Uma mente brilhante)* e não fizer a menor ideia de quem ele foi e o que significou para o conhecimento moderno.

Qualquer forma de qualificação prévia, assim, é complicada. A cabeça tem de estar aberta ao que se dispõe a assimilar, venha de onde vier. Ao mesmo tempo, pode e deve confiar na experiência; quanto mais se adquire "olho", como se diz na pintura, maior é a capacidade de pré-selecionar o que se irá consumir. A filtragem é mais simples justamente porque os critérios estão mais nítidos, e não o contrário. A primeira grande vantagem disso para o homem moderno é saber usar melhor seu tempo, permitindo-se conhecer formas de prazer mais completas – porque envolvem toda a riqueza de percepções humana, da lógica mais abstrata à emoção mais primeva – e também mais sutis, em que os meios-tons tomem o lugar dos maniqueísmos e as ironias da vida sejam explicitadas. A segunda grande vantagem é que um cidadão mais consciente de suas escolhas, simultaneamente mais crítico e mais tolerante, é um cidadão melhor – que erra do mesmo jeito, mas tem mais chance de corrigir o erro ou ao menos de saber por que errou.

Um exemplo de todas essas nuances ocorreu por ocasião do lançamento simultâneo de dois romances brasileiros, em 2000: *Saraminda*, de José Sarney, e *Dois irmãos*, de Milton Hatoum. Uma grande revista semanal brasileira abriu sua seção cultural com o primeiro, dedicando-lhe três páginas. O assunto central era menos o livro que o autor, Sarney, ex-presidente, com alguns livros bem-sucedidos nas livrarias etc. Mas "vendia" o livro – sugestionava o público a adquiri-lo – e mal fazia ressalvas sobre seus defeitos literários. Já o romance de Hatoum teve um máximo de quarenta linhas, num pouco visível rodapé da página, linhas vagamente elogiosas. No entanto, o equívoco foi duplo: primeiro, porque o livro de Hatoum é melhor que o de Sarney, com personagens mais bem construídos, escrita mais rica e tema mais pertinente para a atualidade; segundo, porque terminou tendo mais exemplares vendidos (dezoito mil contra sete mil exemplares)... Ou seja, nem mesmo o critério do suposto "interesse do público" ficou em pé. E quando os historiadores de literatura forem escrever a história do período, daqui a alguns anos, certamente destacarão o romance de Hatoum, não o de Sarney.

Outra perda do jornalismo cultural em meio a essa confusão de valores, além da credibilidade crítica, é sua submissão ao cronograma dos eventos. Lemos muito sobre discos, filmes, livros e outros produtos no momento de sua chegada ao mercado – e, cada vez mais, antes mesmo de sua chegada, havendo casos em que a obra é anunciada (e, pois, qualificada) com diversos meses de antecedência. No entanto, raramente lemos sobre esses produtos depois que eles tiveram uma "carreira", pequena que seja, e assim deixamos de refletir sobre o que significaram para o público de fato.

Bom exemplo disso está na comparação entre os dois livros de ficção de Chico Buarque. O primeiro, *Estorvo*, veio respaldado por propagandas que se valiam do nome do grande compositor, do tema do livro (algo sobre a angústia do cidadão brasileiro diante da injustiça social) e da opinião de alguns críticos de renome, que elogiaram a maestria verbal do autor. *Boom*. O livro rapidamente se tornou um fenômeno sociocultural, comprado até mesmo por quem jamais o leu. Bem, esse mesmo autor voltou, alguns anos depois, com *Benjamim*, que não só continha os mesmos ingredientes, mas também mais páginas, mais personagens e até maior elaboração literária. Ainda assim, não vendeu mais que 60 mil exemplares, enquanto *Estorvo* ultrapassou os 160 mil.

Eis aí, no mínimo, um tema de enorme riqueza jornalística: por que isso aconteceu? Será que a recepção exagerada do primeiro atrapalhou a do segundo? Mas isso não afetou na mesma proporção, por exemplo, os romances de Jô Soares, o famoso apresentador e comediante de TV. *O homem que matou Getúlio Vargas* vendeu menos que *O xangô de Baker Street*, 360 mil contra 550 mil, mas ainda assim foi um best-seller. (Aproveitando a passagem, vale notar que *O xangô*, apesar de todo o sucesso editorial, *foi* parar no cinema com produção cara para os padrões nacionais e mesmo assim não se deu bem.) Pode-se dizer que Jô Soares, por estar na mídia todo dia e por ter promovido intensamente em seu próprio programa ambos os livros, tem mais força de mercado que Chico Buarque. Mas isso ainda não basta para explicar o mau desempenho de *Benjamim*. Teria a ver com elementos intrínsecos? É possível, já que *Estorvo* era um livro mais fácil de ler pelo tamanho e pelo estilo (e no caso de Jô Soares ambos os livros mantiveram as características típicas de best-seller de mesclar romance histórico e ficção policial). Ou então os que chegaram a ler *Estorvo* não gostaram e, portanto, descartaram Chico Buarque como escritor? Também é possível, já que não foram poucos os relatos de que o livro pareceu limitado ou monótono.

O provável, em suma, é uma combinação de fatores. O ponto é justamente que o jornalismo não se detém sobre esses fatores e essa combinação. E tal tipo de reflexão não é raro apenas no Brasil. O jornalismo cultural, em dias como os atuais, perde muito de sua capacidade de influência por negligenciar questões tão "quentes" sobre a sociedade moderna.

AS VARIEDADES E AS ERUDIÇÕES

Outro subproduto óbvio da polarização entre esnobes e populistas tem sido o hiato existente nos grandes jornais entre os cadernos diários, ditos de "variedades" ou "artes e espetáculos" (títulos que servem para tudo, como se vê), e os suplementos semanais, mais focados em livros, também em artigos sobre ciência ou textos longos sobre cultura em geral. Não há problema nenhum na divisão, fisicamente falando. Qualquer pesquisa de leitura mostra que o jornal de fim de semana é lido com maior vagar, por razões óbvias, e que no dia a dia a tendência é ser mais enxuto e informativo. O incômodo é a diferença de tom e abordagem entre os dois tipos de caderno.

Os cadernos diários estão mais e mais superficiais. Tendem a sobrevalorizar as celebridades, que são entrevistadas de forma que até elas consideram banal ("Como começou sua carreira?" etc.), a restringir a opinião fundamentada (críticas são postas em miniboxes nos cantos da página); a destacar o colunismo (praticado cada vez menos por jornalistas de carreira); e a reservar o maior espaço para as "reportagens", que na verdade são apresentações de eventos (em que se abrem aspas para o artista ao longo de todo o texto, sem muita diferença em relação ao press-release). Os assuntos preferidos, por extensão, são o cinema americano, a TV brasileira e a música pop, que dominam as tabelas de consumo cultural.

Os cadernos semanais, por sua vez, quando não cedem para o estilo jornalístico dos cadernos diários, esquecendo que sua função seletiva deve ser exercida com mais fundamentação ainda, estão presos ao esquema das resenhas encomendadas a professores universitários, que não raro pecam pela escrita burocrática e lenta, com excesso de jargões e falta de clareza. A pauta, que ignora as lições de Benjamin e Barthes, também costuma ser limitada aos nomes "piramidais" e aos temas imediatamente associados à ideia de erudição. É possível, primeiro, falar sobre esses nomes e temas com um tratamento menos pomposo e insosso e, segundo, partir para outras faixas do repertório cultural, incluindo áreas de grande interesse popular como o futebol e a televisão, num tratamento diferenciado e reflexivo.

As distorções causadas por esse hiato entre os segundos cadernos e os suplementos intelectuais são muitas.

Uma das mais fortes, no primeiro caso, é a entronização do pop. Essa palavra, normalmente associada à música comercial pós-rock, tem um sentido muito elástico. Seus defensores costumam dizer que ela significa toda manifestação cultural de alcance imediato, que dispensaria conhecimentos prévios, camadas explicativas. A própria palavra, onomatopaica, sugere algo que salta aos olhos, como pipoca explodindo do milho ou bola de chiclete estourando. Todo o movimento da arte pop, que começou na Inglaterra no início dos anos 60 e teve seu maior apóstolo no americano Andy Warhol, lidava com a questão da "arte de massa", serial, reproduzida em jornais, pôsteres, histórias em quadrinhos, programas de TV, tal como os produtos nas gôndolas de supermercado. Warhol, que retratou celebridades como Marilyn Monroe, Pelé e Jacqueline Kennedy, além de latas de sopa Campbell's e garrafas de Coca-Cola, dizia que estava democratizando a arte moderna, levando estética e ironia às massas. Como Benjamin, mas sem a melancolia de Benjamin, decretou o fim da obra de arte como objeto único, a ser cultuado em museus e sacralizado em universidades.

Mas essa visão, por mais que tenha implicado agitação cultural e contestação das fronteiras esnobes, é falha. Seu maior erro é supor que criações do chamado "mundo erudito" não tenham apelo instantâneo. Quaisquer propagandas de sabonete ou carro, com Mozart, Vivaldi e outros na trilha sonora, assim como muitos filmes de Hollywood, que contratam compositores como Philip Glass e Michael Nyman, demonstram o contrário. Além disso, trata-se de um equívoco histórico. Shakespeare em seu tempo, a ópera no século XIX e os romances de Balzac são exemplos de sucesso popular, para muito além dos círculos conhecedores. O jazz, dos anos 20 aos 50, foi o que o rock seria nas décadas seguintes: uma arte de massa, com discos vendidos aos milhares, execuções incessantes nas rádios, influência enorme sobre o comportamento urbano – todos os ingredientes, enfim, de um fenômeno pop. Na verdade, a aversão ao passado, que esse conceito do pop alimenta, também é uma forma de esnobismo.

O outro erro dessa visão está relacionado com isso. Não é verdade que o pop não exija conhecimentos prévios. Basta ler qualquer resenha de música pop nos jornais – para não falar das revistas especializadas – que se sente a mediação de um código específico, cheio de termos e normas, não raro sem o menor esforço de se aproximar do "leigo". Referências são passadas adiante sem a menor explicação, e aqueles que desconhecem "o que está na moda" sofrem a sensação de desamparo, de não pertencerem à turma. Se você não sabe a diferença técnica entre rap e hip-hop, não continue a ler este texto. A consequência irônica é que muitas vezes essa visão também confunde o que seria o pop e o que é o popular. Se o pop for o tipo de música que o canal *MTV* costuma apresentar (ou costumava, já que acordou para essa realidade, como se vê na onda dos "acústicos"), a diluição do rock'n roll de linhagem anglo-americana na formação básica de voz, guitarra, baixo e bateria, então esse pop nem sempre é popular. Uma lista dos discos mais vendidos no Brasil, por exemplo, é uma prova: quem a domina são os românticos (leia-se "bregas") e sertanejos (ou "popnejos"), na maioria nacionais.

Nada disso significa que o pop deva ser menosprezado, e sim o contrário: sua definição precisa ser ao mesmo tempo mais ampla e precisa, sem premissas de superioridade ou inferioridade. Também é óbvio que a chamada "música erudita", ajudada por seus excessos de vanguardismo (a mais alta forma de esnobismo, embora costume fazer planos para a humanidade inteira), é pouco relevante no mercado de discos, do qual representa menos de 2%. No entanto, como já se disse, um concerto de Nelson Freire em São Petersburgo pode ter um efeito multiplicador, pode lhe conferir uma importância histórica, que não se mede apenas em números, embora ele tenha seu público fiel, que lota as salas e esgota os discos. E o gênero pop faz parte da história da música, mais exatamente da história das canções, e há uma linha de que vem de Schubert a Elvis Costello muito rica e ainda inexplorada.

Os cadernos culturais diários, em consequência desses simplismos e maniqueísmos, vêm sofrendo de um novo problema. Acompanhando até certo ponto a própria segmentação do mercado cultural, cada vez mais subdividido em gêneros, eles parecem sucumbir ao que se poderia chamar de tribalização ou guetização. Soam como porta-vozes de grupos que mal se comunicam. A música, por exemplo, não é mais separada em "erudita" e "pop" (ou "pop-rock"), mas também em jazz, metal, blues, rap, tecno e o que mais o futuro reservar. E essas "turmas" não exercem muita comunicação entre si; os fãs de cada gênero, que em geral se vestem e se comportam de acordo com essa preferência (vão aos mesmos lugares, consomem as mesmas marcas, pensam e se expressam da mesma forma), não têm interesse senão circunstancial pelos outros. Eis uma grande questão para o jornalismo cultural enfrentar.

Afinal, se a diversidade é um fator cultural e mesmo socialmente positivo, a tribalização a distorce, dando-lhe sentido mais empobrecedor. A mesma sensibilidade pode conter espaço para Pixinguinha, Schubert e Costello, para Caymmi, Mozart e Beatles. É melhor que seja assim porque assim ela afasta preconceitos, preservando a independência de julgamento, e porque enriquece a percepção, ao enxergar os nexos entre os estilos e as artes. A música brasileira é grande exemplo deste segundo ponto. Há o samba, o pagode, a bossa-nova, a MPB, o rock e outros rótulos em curso, como se nada tivessem a ver um com o outro. Mas o fato é que uma característica que chama a atenção para a música brasileira é a quantidade de elementos comuns entre eles. O chamado rock brasileiro dos anos 80, por exemplo – aquele feito por Cazuza, Lobão, Paralamas do Sucesso, Legião Urbana –, estava tão próximo da MPB (Jobim, Caetano, Jorge Ben etc.) quanto do pop-rock anglo-americano, ainda que este o tenha influenciado bastante.

Aqui entra também uma questão crescente na atualidade. Especialmente a partir dos anos 90, alguns assuntos que pertencem obviamente ao universo cultural, embora não sejam exatamente linguagens artísticas ou intelectuais, ganharam mais e mais espaço nos cadernos culturais. Moda e gastronomia, destacadamente, aumentaram seu público e, pois, sua relevância simbólica. Outro assunto que cresceu é o design (desenho de objetos em série), que hoje tem grandes mostras específicas, livros, debates. Tudo isso é, de certo modo, um ganho para o jornalismo cultural, pois abre suas fronteiras. Seu papel, como já dito, nunca foi apenas o de anunciar e comentar as obras lançadas nas sete artes, mas também refletir (sobre) o comportamento, os novos hábitos sociais, os contatos com a realidade político-econômica da qual a cultura é parte ao mesmo tempo integrante e autônoma.

No entanto, assim como a setorização excessiva, a expansão para esses assuntos tem ajudado a deixar o jornalismo cultural numa posição tímida diante do marketing e da dimensão mais e mais avassaladores da chamada "indústria do entretenimento". Não raro os eventos de moda e gastronomia, mais e mais caros e frequentes, têm ganhado as capas das seções culturais da grande imprensa, porque seu apelo para boa parte dos leitores – dada a certa leveza inerente aos temas, em geral transformada em frivolidade – facilita as coisas para editores e diretores. Não que não seja possível uma coabitação equilibrada e fértil, mas o jornalismo cultural sai perdendo quando os critérios passam a ser resumidos ao de afastar o leitor de abordagens que considera erroneamente "muito sérias" ou críticas.

Sim, uma capa com a supermodelo brasileira Gisele Bündchen deve dar muita leitura e – por que não? – pode ter um bom destaque num caderno cultural. Mas há requisitos a cumprir para o bem do próprio leitor: 1) não deve ser a norma dominante; 2) a matéria deve se distinguir das que se leem habitualmente, digamos, numa revista feminina mensal, cujo objetivo é reportar a vida e o estilo da celebridade – como se veste, quanto ganha, aonde costuma ir – que é admirada e imitada. Acredite, é possível tratar de temas como esse com mais novidades na informação e também na análise, ou seja, com mais jornalismo. Explicar um ídolo nem sempre é fácil.

Há muitos exemplos de boa combinação entre as sete artes e esses assuntos, como os cadernos de fim de semana de jornais econômicos, como o *Financial Times* e o *Wall Street Journal*. Mais importante: muitas grandes publicações já criaram cadernos específicos para temas como gastronomia, moda e design, como o *Style* do *The New York Times* e algumas revistas dominicais mundo afora, inclusive no Brasil. (Exemplos inversos também chamam a atenção: note como revistas de moda americanas e europeias dedicam muitas e qualificadas páginas para a cultura em sentido estrito, para livros, filmes, discos, além de reportagens literárias. No Brasil, reservam-se no máximo algumas seções de notinhas.)

Tudo isso depende, enfim, de fugir ao impasse imaginário entre os diversos repertórios culturais e, claro, respeitar a capacidade do espectador, que saberá agradecer por ter sido tratado assim. Jornalismo é dosagem. Temas ditos eruditos podem ser tratados com leveza, sem populismo; e temas ditos de entretenimento podem ser tratados com sutileza, sem elitismo. Suplementos semanais podem ganhar vibração jornalística, mantendo a densidade crítica; cadernos diários, o inverso. Não há propriamente um método. Ou melhor, como dizia o poeta T. S. Eliot, o melhor método é ser inteligente.

O NACIONAL E O INTERNACIONAL

Outra dicotomia enganosa que afeta a riqueza do jornalismo cultural é entre nacional e internacional. Mais uma vez, não se trata de uma oposição, mas de uma questão de equilíbrio, de acordo com cada linha editorial.

Numa seção diária ou semanal da grande imprensa, daquela que chega ao público com bom grau de instrução, afugentar as notícias de eventos culturais no exterior ou produtos importados é atentar contra si mesma. O leitor tem interesse em saber, digamos, que Mario Vargas Llosa está lançando novo livro, do que ele trata, se é pior, igual ou melhor que os anteriores, o que representa para a literatura contemporânea. Até mesmo porque esse livro inevitavelmente será traduzido. Se for o caso de um autor menos conhecido por aqui, a matéria talvez possa ser exatamente um estímulo para que seja traduzido. E há, claro, em tempos de Internet, aqueles que compram livros e outros produtos em inglês por sites como Amazon. Mesmo grandes exposições, daquelas improváveis de vir ao Brasil, suscitam interesse já por serem realizadas; quando forem em capitais como Nova York, Londres e Paris, o leitor pode ter ainda a chance de visitá-las em viagem. No caso de filmes e discos, então, nem é preciso lembrar como circulam mundo afora.

O preconceito contra esse tipo de notícia, além de tudo isso, se alimenta da falsa noção de que o jornalismo cultural se encerra na função do serviço, do roteiro. Na verdade, uma matéria jornalística – nesta era da multiplicação industrial – é, ela mesma, um produto cultural, para um consumo que às vezes se esgota em si mesmo. Quantas vezes não lemos a resenha de um filme que terminamos não vendo? Mas aquela resenha em si é veículo de informação e reflexão para o leitor. Você pode querer ler bastante sobre a mostra Picasso e Matisse que é tema de debate em vários lugares influentes, até mesmo para se informar sobre a existência desse debate e de seus termos, ainda que não vá ter a chance de ver a mostra (embora possa adquirir virtualmente seu catálogo).

No entanto, a principal objeção contra matérias que relatem e analisem eventos culturais estrangeiros é a de que significariam uma espécie de "submissão", uma atitude de "colonizados", aquele tipo de pensamento que supõe que tudo que venha "lá de fora" seja melhor a priori. Isso, porém, não pode implicar o contrário, ou seja, que não se deva deter a atenção sobre informações culturais do exterior porque o que nos importa é o que fazemos "aqui dentro", como se as culturas não se comunicassem. E, naturalmente, tudo depende da abordagem. Se a abordagem for como a que até hoje se vê na crítica de música pop, daquela que rejeita por atacado os grupos nacionais, então a crítica tem sua razão. Mas não se pode, especialmente num país onde a cultura (nacional ou internacional) ainda é tão pouco valorizada, virar as costas para as muitas obras de qualidade que são feitas em tantas partes.

É claro que o critério não é apenas o da qualidade em si de cada obra. O leitor brasileiro tem um interesse adicional pela cultura brasileira, como o americano pela americana, o polonês pela polonesa, o japonês pela japonesa. Aquilo diz mais diretamente respeito ao seu cotidiano, aos seus hábitos e valores, à sua procura de situar-se na realidade em que está mais consequentemente enredado, ao idioma que pertence organicamente à sua estrutura mental etc. Se você retoma como exemplo Chico Buarque, um grande autor de canções que tem respeito internacional, ele não é exatamente "famoso" fora do Brasil – e isso não importa muito. Sua criação tem uma força expressiva para o brasileiro que dificilmente terá para o estrangeiro. Não é porque uma obra não "viaja" bem que seu valor artístico será necessariamente maior ou menor.

Às vezes até mesmo ocorre o contrário. Há criadores brasileiros que têm mais fama no exterior do que em seu próprio país. Ainda que essa diferença seja sempre relevante para a reflexão, pelo que pode sugerir uma injustiça (afinal, santo de casa não faz milagre), há muitos casos em que os motivos para isso tenham a ver com outros fatores, além da simples avaliação estética. O cantor e compositor Ivan Lins, por exemplo, tem uma carreira internacional muito mais rentável que a nacional e, embora merecesse um pouco mais de respeito no Brasil, o que a explica é sua associação com a bossa-nova (aproximada ao jazz por seu teclado), num período em que poucos músicos brasileiros ainda prezam essa associação; o mesmo explica o maior sucesso no exterior (sobretudo no Japão) de João Donato, embora a música de Donato tenha mais sofisticação e originalidade que a de Ivan Lins. Outro exemplo, agora da literatura: certos escritores brasileiros – Jorge Amado, Paulo Coelho, Clarice Lispector – conquistam enorme reputação na França porque lá existe uma tradição de interesse intelectual pela chamada cultura "sincrética", de misturas raciais com fundo religioso.

Essa pequena discussão já mostra a riqueza, a complexidade do jornalismo cultural em sua rotina, como será esmiuçado no próximo capítulo. Uma decisão sobre se uma pauta tem valor e qual dimensão deverá receber não pode se basear caso a caso em questões como ser ou não ser nacional. Mas, em linhas gerais, o jornalista cultural tem de estar periodicamente se perguntando se não está dando atenção demais para um lado e de menos para um outro. Se sua ocupação principal é ser crítico de literatura, digamos, deve estar sempre acompanhando a nova produção local, além de ler e reler os clássicos da língua e, claro, jamais ignorar o que está sendo feito de bom nos outros países, até mesmo para traçar paralelos.

Tudo isso depende, obviamente, também da publicação em que se está. Se a proposta de seu caderno é ter um grau de sofisticação maior, porque fala a um público com maior escolaridade e com mais acesso a importados e a viagens para o exterior, uma capa sobre uma exposição importante em Paris, por exemplo, não lhe parecerá um assunto remoto, desinteressante. Principalmente se o texto for bem escrito e tiver um ponto de vista a transmitir sobre aquele assunto, não se bastando no relatorial ou no deslumbrado. Num mundo que cada vez mais se interpenetra, em que a TV a cabo, as livrarias (reais ou virtuais), as lojas de discos, as bancas de revistas, a Internet e o cinema abrem fronteiras o tempo todo, é ingênuo imaginar que uma cultura viva isolada e assim possa se manter viva e ativa.

Alternando intensamente entre o nacional e o internacional, lançando pontes entre ambos, o jornalismo cultural só ganhará poder de interpretação sobre tal realidade moderna. Um novo escritor que mostre o desconhecido a respeito de uma região como o Pantanal é, em princípio, um ímã mais forte para o leitor brasileiro do que um novo escritor que revela a cultura do norte da Índia ou do interior do Arkansas. Mas quando o escritor é de primeira grandeza – essa minoria – sua literatura terá interesse universal, mostrando naquela região específica o mesmo tipo de drama ou prazer que se vive em outras regiões. "Ser culto é pertencer a todos os tempos e lugares", disse Octavio Paz, "sem deixar de pertencer a seu tempo e lugar." Note que ele não disse que ser culto é pertencer a seu tempo e lugar, sem deixar de pertencer aos outros; cultura é expandir horizontes, até mesmo para enxergar melhor o seu entorno. O jornalismo cultural deve se nutrir disso.

OS SEGUNDOS ESTÃO ENTRE OS PRIMEIROS

Todos os falsos dilemas descritos colaboram para uma situação que é nociva para o jornalismo cultural. É por isso que há uma insatisfação mais ou menos geral, e muito forte em certos meios, com o momento atual desse jornalismo, especialmente nos cadernos da grande imprensa.

Há três males comumente apontados. O primeiro é o excessivo atrelamento à agenda – ao filme que estreia hoje, ao disco que será lançado no mês que vem etc. – e, com isso, um domínio muito grande dos nomes já bem-sucedidos, dos eventos de grande bilheteria previsível, das celebridades e grifes. O segundo mal é o tamanho e a qualidade dos textos, especialmente desses que anunciam um lançamento, que pouco se diferenciam dos press-releases, salvo pelo acréscimo de uma declaração ou outra e/ou de alguns adjetivos, e que vêm diminuindo com o passar do tempo, sendo restritos às informações mais ralas. E o terceiro é a marginalização da crítica, sempre secundária a esses "anúncios", com poucas linhas e pouco destaque visual, mais e mais baseada no achismo, no palpite, no comentário mal fundamentado mesmo quando há espaço para fundamentá-lo; há uma nostalgia, endossada pelas reedições de livros e coletâneas, dos grandes críticos do passado, de sua credibilidade autoral.

Mesmo os leitores pouco habituados a textos menos curtos e superficiais, a estilos marcados pela força da inteligência crítica, e com repertório cultural mais limitado (seja por escolha própria, seja por ignorância a respeito dos outros repertórios), percebem que o jornalismo cultural de hoje, na maioria das vezes, beira o fútil e o leviano. Vê que os suplementos literários foram fechados ou drasticamente reduzidos, nota a hegemonia das colunas em tom de crônica impressionista, sente que o autor de uma matéria não tem muita familiaridade com o assunto ou então fala apenas aos "iniciados" em seus códigos e gírias. Percebe, sobretudo, os altos e baixos, como quando lia – para dar um exemplo de 1988 – uma capa da *Ilustrada* em que Paulo Francis comentava uma montagem de Shakespeare com atores famosos e, no dia seguinte, no mesmo lugar, uma reportagem sobre os futuros negócios da Xuxa, a "rainha dos baixinhos". Mesmo o leitor que eventualmente tenha interesse em se informar dos negócios da Xuxa, nas páginas de um caderno de "artes e espetáculos", sabe que aquela reportagem poderia ter sido feita com uma escrita menos burocrática e passiva.

O triste é que esses segundos cadernos são mais importantes para os jornais e revistas do que eles costumam imaginar. Não só as pesquisas de leitura em cada publicação apontam, na maioria dos casos, a seção como a primeira ou segunda mais lida depois da primeira página (ajudada, como se sabe, por coisas como quadrinhos, coluna social e horóscopo), mas também é dali que o leitor, muitas vezes, extrai suas referências afetivas, suas pontes cativas com a publicação. Hoje isso se perdeu um pouco, mas, nas épocas mais marcantes de cada jornal ou revista, a seção cultural sempre foi um poderoso vértice de identidade do leitor para com a publicação.

É comum, por exemplo, que o colunista mais lido e comentado do jornal esteja no segundo caderno, como era Paulo Francis na *Ilustrada* e depois no *Caderno 2*, como são hoje Arnaldo Jabor (também saído da *Ilustrada* para o *Caderno 2*) ou Diogo Mainardi na *Veja*. Fisicamente, às vezes esse colunista está fora da seção cultural, como estava Otto Lara Resende na *Folha* até sua morte em 1992, como estão Carlos Heitor Cony, que o substituiu (ambos com uma coluna semanal na *Ilustrada* também), ou Luis Fernando Veríssimo, que durante muitos anos assinou coluna diária no primeiro caderno de diversos jornais do país. Todos, sem dúvida, dotados de um olhar cultural sobre os fatos e os debates mundo adentro e afora.

Além disso, a natureza dos assuntos tratados por essa seção, do cinema à moda, da literatura à música, é obviamente convidativa. Ela não está falando dos escândalos políticos, dos índices econômicos e dacriminalidade assustadora, pelo menos não diretamente daqueles que nos afetam no cotidiano. Está nos indicando, em geral, coisas boas para fazer, como ver um filme, ir a um restaurante, ler um livro – daí a importância das edições de fim de semana (sexta, sábado e domingo), que também usufruem do maior tempo disponível do público para ler o próprio jornal. Para uma publicação, é certamente um espaço de sedução do leitor que conta com uma simpatia prévia, até pelo contraste com as outras seções (com exceção, naturalmente, dos esportes, embora nem todo mundo goste de esportes).

Investir nesse espaço não significa necessariamente dar numerosas páginas para ele, pelo menos não nos dias úteis, em que o tempo é mais exíguo para a leitura do jornal e para as atividades culturais. Mas significa olhá-lo de forma particular, respeitando seu papel um pouco mais específico dentro da publicação. Significa ter colunistas com recursos literários, que saibam traduzir sensações e opiniões diante das tantas faces da realidade; significa ter uma equipe com preparo intelectual, que faça com exigência e charme as críticas, entrevistas e reportagens; significa permitir pluralidade e criatividade com ainda mais vigor do que nas outras seções.

Infelizmente, esses quesitos têm sofrido nos últimos tempos, em particular no jornalismo brasileiro, afetado como é pelas instabilidades econômicas e pela precariedade educacional. O padrão das colunas caiu, em parte porque foram entregues a "personalidades" que se destacam mais por seu nome que por seu texto, em parte porque mesmo o escritor profissional, quando faz coluna para a grande imprensa, insiste em ignorar a cultura propriamente dita, deixando em terceiro plano os livros, filmes, discos e exposições e as ideias em debate, optando pela impressão imediata sobre fatos corriqueiros ou o assunto da semana. As equipes têm menos repertório e ambição e trocam a exigência pela complacência (tudo é bom, desde que o leitor goste...) e o charme pela previsibilidade (a construção do texto é convencional, a opinião emitida idem). O resultado, claro, é uma diminuição sensível na pluralidade e criatividade.

Tudo isso se deve também às medidas que foram tomadas na última década para igualar o jornalismo cultural aos outros, como o político e o econômico, como se ele vivesse da mesma dosagem de "hard news". Decidiu-se, por exemplo, que os títulos deveriam ter verbos, sempre que possível; que a crítica seria sempre um item à parte, raramente apta a abrir a seção ou mesmo uma página interna; que a diagramação também não seria muito diferenciada; que os parágrafos deveriam ser curtos etc. Poucas vezes os cadernos culturais têm ganhado chamadas na primeira página. E, como vivem de quociente maior de colaboradores de fora da redação, têm sofrido também com os cortes de verba, que naturalmente começam pelos terceiros. Basta pensar em como a *Ilustrada* imprimia a marca da *Folha* nos anos 80 – ou o *Caderno B* do *Jornal do Brasil* nos anos 60 ou as páginas culturais da *Veja* nos anos 70, entre tantos exemplos – para sentir como a força das seções culturais foi reduzida.

Nos outros veículos, como rádio e TV, não é diferente. As rádios noticiosas têm segmentos para os mais diversos assuntos – ecologia, Terceiro Setor, futebol –, mas raramente para os culturais, salvo uma dica ou outra às sextas-feiras. As rádios musicais, com exceção das segmentadas *(NovaFM*, de MPB, e *CulturaFM*, de "erudita"), se concentram em tocar os sucessos ou aquilo que as gravadoras vendem como novos hits e, digamos, não fazem nem sequer um programete semanal com análise do momento musical. Em outros países os programas sobre livros ou de debate são muito mais frequentes, como sabem os ouvintes brasileiros da britânica *BBC*.

Na TV, com a exceção da rede estatal (assim como no rádio) e de um outro canal a cabo mais segmentado, programas culturais são raros também. Os telejornais só entram na área cultural quando há algum morto célebre, alguma exposição muito promovida que promete fazer filas na cidade ou, mais uma vez, alguma estreia chamativa no cinema para o fim de semana. Mesmo programas de reportagem entram apenas em temas como saúde, natureza e crime. O *Globo Repórter*, por exemplo, fez numa ocasião um programa especial sobre Tom Jobim, quando o compositor ainda era vivo, teve ótima audiência e ainda conquistou prêmios internacionais; no entanto, jamais quis saber de repetir a experiência com outras grandes personalidades culturais brasileiras. Então o argumento da falta de interesse é, no mínimo, cômodo.

Verificadas a insatisfação de um grupo considerável de pessoas e a possibilidade real de um tema cultural ser atraente para elas e para aquelas que nem sabem o que estão perdendo, a questão que fica é como recuperar a atratividade dessas seções. Parece claro que não se trata de continuar corroborando as expectativas de sucesso, já que muitas vezes elas não se realizam ou então não traduzem em permanência estética a boa estatística. Tampouco se trata de voltar a um modelo datado de jornalismo cultural, limitado a críticas e colunas de tom sério, professoral, sem vivacidade gráfica, sem colorido nos textos, sem variedade de assuntos e dimensões.

A demanda por um jornalismo cultural de qualidade, vivo e crítico, é segura. Provas disso são a quantidade de endereços culturais surgidos na Internet, inclusive no Brasil (sites como *Nominimo, Digestivo cultural, Agulha* etc.), e o fato de que as editoras cada vez mais dão atenção à não ficção, a ensaios, perfis, reportagens, biografias e livros de história escritos por jornalistas ou com "pegada" jornalística. Pode-se dizer que, de certo modo, depois da derrocada dos sistemas ideológicos tradicionais, simbolizada pela queda do muro de Berlim em 1989, e do surgimento de diversas tecnologias que recuperam o passado cultural (CD, DVD, a própria Web), a análise cultural ganhou força. Isso se vê também na onda de grandes documentários culturais, como os citados de Robert Hughes ou os que podem ser vistos em canais a cabo corno *Film&Arts* e o brasileiro *GNT*. E, embora as boas publicações da área já não tenham a influência de antes, elas continuam a manter o padrão, como as revistas *New Yorker* e *Spectator*, os suplementos dos grandes jornais europeus e americanos, os tabloides intelectuais.

No Brasil a queda é mais acentuada, sobretudo por causa das dificuldades econômicas. Mas os obstáculos mentais também precisam ser retirados. Há um longo caminho a percorrer no hiato entre os segundos cadernos e os suplementos semanais, entre o discurso superficial e/ou tribal daqueles e o discurso distante e/ou retórico destes. Isso envolveria também o enriquecimento dos gêneros, pois há excesso das entrevistas em que não se contesta o entrevistado, das resenhas que desperdiçam o pouco espaço com pouca incisividade e sutileza, das colunas que narram o dia a dia do colunista. Faltam perfis que relacionem a personalidade do artista com sua criação, críticas que saibam se deter tanto na estrutura do filme como na sua eventual posição e recepção, articulistas que valorizem especialmente as ideias que mexem com nosso cotidiano.

Tudo depende, no entanto, de ter bons profissionais e estimulá-los a prezar o que fazem, estimular sua criatividade e seu rigor, estimulá-los a estudar, viajar, sedimentar ideias. O fundamental no jornalista cultural é que saiba ao mesmo tempo convidar e provocar o leitor, notando ainda que essas duas ações não raro se tornam a mesma: o leitor que se sente provocado por uma opinião diferente (no conteúdo ou mesmo na formulação) está também sendo convidado a conhecer um repertório novo, a ganhar informação e reflexão sobre um assunto que tendia a encarar de outra forma. É desse profissional que o próximo capítulo trata.

Fugindo às oposições simplistas entre elitismo e populismo e entre internacionalismo e nacionalismo e apostando na riqueza técnica e intelectual de sua profissão, o jornalista cultural poderá recuperar pelo menos parte do papel que costumava ter, o de "fazer cabeças" no bom sentido, incitando o leitor a ter opinião e usar melhor seu tempo. É o único meio, acredito, de vencer os preconceitos em relação à chamada indústria cultural – seja o preconceito que supõe que ela esteja a serviço de uma ideologia opressora e produza apenas massificação e jamais a grande arte, seja o que supõe que ela é a mera expressão direta da vontade da maioria e se limita a atender aos diversos gostos vindos da sociedade.

O jornalismo cultural sofreu, como a sociedade, enormes transformações desde Samuel Johnson até Robert Hughes, ou desde Machado de Assis até Paulo Francis, mas suas funções não mudaram muito. Grandes críticos culturais como eles, assim como os chamados jornalistas literários como Gay Talese, continuam na história porque souberam lutar contra os dogmas estabelecidos e contra a mediocridade dominante. Ganharam a pecha injusta de "elitistas", de metidos a "juízes" do gosto alheio etc., mas fizeram muito pela formação cultural de muita gente, chegando ao leitor não acadêmico pela energia e clareza do seu texto. Portanto, eram (ou são) seletivos, não elitistas, e combativos, não arbitrários. A prova é a de que conquistaram, a médio ou longo prazo, um público grande e assíduo. É um caminho mais trabalhoso, mas também mais digno.

CAPÍTULO III

Contraclichê

A QUESTÃO DA CRÍTICA

Duas histórias envolvendo festivais artísticos merecem um paralelo.

A primeira foi em 1998, no Festival de Edimburgo, Escócia, dedicado a peças e concertos. A revista inglesa *The Economist*, cuja seção cultural tem o mesmo alto nível das outras seções, fez uma pesquisa com os artistas do festival sobre as críticas feitas durante a edição anterior. Atores, diretores, músicos e outros profissionais foram perguntados sobre defeitos de suas apresentações. Com o distanciamento trazido pelo tempo, eles apontaram o que fariam diferente, o que saiu errado etc. Surpresa: houve uma concordância de mais de 80% em relação ao que os críticos então disseram, para indignação, na ocasião, desses mesmos artistas. Ou seja, boa parte da discórdia vigente entre críticos e criadores é fictícia. Os críticos de qualidade não estão preocupados em encontrar falhas onde não existem.

A outra história é com o cinema. Durante o Festival de Berlim de 2003, outra publicação inglesa, *Screen International*, voltada principalmente para negócios e lançamentos do cinema, criou ironicamente algumas "regras" para a imprensa cultural, depois de testemunhar os esquemas de divulgação da indústria. Entre elas: só dizer coisas boas sobre o filme (para não perder o direito de entrevistar os astros na próxima ocasião); basear-se no material de divulgação, como press-releases e pôsteres (onde eventualmente uma frase sua poderá aparecer); dedicar a atenção aos "blockbusters", de sucesso supostamente garantido (de nada adiantaria ir contra a opinião da maioria, salvo para ganhar fama de "arrogante"); caprichar nos adjetivos e detalhes expressos com lugares-comuns.

Infelizmente, muitos jornalistas adotam esses procedimentos sem que ninguém lhes peça. Mas a história escocesa é antídoto eficaz: assim como o público, o meio artístico também sente a carência do olhar crítico; mesmo que num primeiro momento os ataques magoem, se eles forem consistentes – e não caírem na ofensa pessoal, o que infelizmente ainda costuma ocorrer na crítica brasileira – serão certamente ouvidos. A questão da crítica, como se vê, ainda é marcada por controvérsias dispensáveis.

Mas o que deve ter um bom texto crítico? Primeiro, todas as características de um bom texto jornalístico: clareza, coerência, agilidade. Segundo, deve informar ao leitor o que é a obra ou o tema em debate, resumindo sua história, suas linhas gerais, quem é o autor etc. Terceiro, deve analisar a obra de modo sintético mas sutil, esclarecendo o peso relativo de qualidades e defeitos, evitando o tom de "balanço contábil" ou a mera atribuição de adjetivos. Até aqui, tem-se uma boa resenha. Mas há um quarto requisito, mais comum nos grandes críticos, que é a capacidade de ir além do objeto analisado, de usá-lo para uma leitura de algum aspecto da realidade, de ser ele mesmo, o crítico, um autor, um intérprete do mundo.

As resenhas mais rotineiras são as chamadas "impressionistas", em que o autor descreve suas reações mais imediatas diante da obra, lançando adjetivos para qualificá-las. A palavra "impressionista" tomou sentido pejorativo neste assunto, mas não se pode tirar de resenhas assim a vantagem da sinceridade, de jogar limpo com o leitor.

Outro tipo de resenha é o que pretende olhar os aspectos estruturais da obra, suas características de linguagem, e avaliá-la de acordo com as transformações sofridas por aquela arte ao longo do tempo. A resenha "estruturalista" em geral comete o equívoco de vender uma objetividade inatingível ao leitor e/ou abster-se de dizer-lhe qual a importância relativa de ler/ver/ouvir aquela obra, mas tem a qualidade de buscar pontos de referência concretos, a partir dos quais a discussão pode ser estabelecida.

Há também a resenha, muito comum no jornalismo brasileiro, que está mais concentrada em falar sobre o autor, sobre sua importância, seus modos, seus temas, sua recepção, do que em analisar aquela obra específica ou sua contribuição intelectual ou artística no conjunto. Ela poderia ter o trunfo de criar termos para um debate sobre a ascensão ou o desconhecimento daquele determinado autor, olhando para sua recepção cultural (por que ele faz ou não sucesso?), mas isso raramente ocorre. O que está na moda tem algum significado, mas não tem necessariamente qualidade (e vice-versa).

Há ainda a resenha que está mais interessada em discutir o tema levantado do que a maneira como a obra o levantou. São resenhas de pegada mais sociológica, que veem um romance histórico, por exemplo, mais pela sua interpretação do período e menos por suas qualidades narrativas. Certamente a preocupação com o tema em si também tem seu valor, embora uma obra de arte não possa ser julgada apenas por sua verossimilhança histórica ou crítica política, até porque há criadores de cujas opiniões discordamos acentuadamente e mesmo assim suas obras mantêm força e inteligência.

A boa resenha, portanto, e ainda que em pouco espaço, deve buscar uma combinação desses atributos: sinceridade, objetividade, preocupação com o autor e o tema. E deve ser em si uma "peça cultural", um texto que traga novidade e reflexão para o leitor, que seja prazeroso ler por sua argúcia, humor e/ou beleza. Algumas críticas de arte, por exemplo, como as de John Ruskin, Roger Fry, Roberto Longhi e Robert Hughes, podem estar nas antologias literárias por suas qualidades intrínsecas.

Eis um exemplo, analisado por trechos, da resenha de um crítico brasileiro que combina todos esses aspectos: *Uma tragédia americana*, de Carlos Augusto Calil, publicada na *Folha de S.Paulo* em 29/1/1995.

> *"O primeiro acorde da trilha sonora de* Rastros de ódio *(1956), acompanhando os créditos iniciais deste notável filme de John Ford, já anuncia a intensidade do drama que vai se desenrolar. Como o famoso acorde em ré menor da abertura do* Don Giovanni *de Mozart, a música é grave, solene e principalmente anunciadora de um tempo difícil onde se irão bater as forças antagônicas do instinto e da civilização.*

O primeiro parágrafo já qualifica o filme ("notável") e seu tema (antagonismo entre instinto e civilização). Com a descrição que usa metáfora (Don Giovanni) e impressões, atrai o leitor para seguir adiante.

> *A balada que rapidamente substitui a música composta por Max Steiner, se alivia a tensão criada, introduz pela sua letra singela o tema da obra: "What makes a man to wander? What makes a man to road?" Qual é a natureza do tormento interior de Ethan Edwards, o oficial confederado que John Wayne encarnou com o melhor de seu talento histriônico, como se desse conta de que era o papel de sua vida?*

O texto continua com a descrição e qualificação dos elementos do filme (tema musical, protagonista), informando o leitor sobre a história e os realizadores. Combina apresentação jornalística e teor interpretativo, criando um clima de conversa com o leitor.

> *Ethan é Ulisses, que não pode voltar para a casa depois de fazer a Guerra Civil – aliás, perdida pelo seu exército –, derrota que ele jamais aceitará, vagando como um índio por entre os ventos durante três anos para não ter de entregar o seu sabre aos ianques. De resto, ele nunca abandonará o uniforme de oficial condecorado.*
>
> *Martha Edwards, sua cunhada, é nossa Penélope; cansada de esperar pela volta do amado, um dia decide casar com o irmão dele, imaginando com isso ter criado o estratagema que lhe permitiria rever Ethan de tempos em tempos.*

O paralelo entre o filme e a *Odisseia* de Homero é apropriado não só para resumir o filme, mas para ilustrar a grandeza dramática envolvida. O texto é sintético e ao mesmo tempo cromático, é objetivo sem ser burocrático (notem-se a variedade de pontuação e o uso de imagens e referências).

> *Rastros de ódio principia com Martha abrindo a porta de sua casa, plantada em pleno Monument Valley, para perscrutar o horizonte até fixar-lhe a silhueta cansada de Ethan que se aproxima lentamente.*
>
> *O reencontro deles é uma lição de concisão, de sugestionamento, em que o olho no olho fala mais alto que a frase convencional de boas-vindas ao cunhado pródigo. Desenhados os protagonistas do drama de amor frustro, John Ford nos conduz para o espaço aconchegante do lar de Martha, ponta de lança da civilização num cenário agreste, cuja imponência é marcada pelos totens de terra vermelha de Monument Valley, a paisagem por excelência para John Ford, que aí se encontrava no seu meio.*

O resenhista observa as características de linguagem (silhueta, silêncio, contraste) e situa o cineasta em sua paisagem habitual ("agreste", totêmica) e o filme em sua época histórica (o choque modernizador da Guerra Civil americana), Aponta as diversas camadas de significado da obra.

> *Essa paisagem é povoada por selvagens em permanente confronto com os colonos que os querem civilizar, isto é, tomar-lhes a terra para exterminá-los.*

A palavra de ordem de ambos os lados dessa guerra civil que não conhece trégua é massacrar. Por um sinistro acaso Ethan vê a "sua" família massacrada, ocasião em que perde – agora definitivamente – a sua querida Martha. Antes de chegar ao teatro da tragédia, onde só lhe caberia enterrar os mortos, mesmo assim com grande impaciência, pois a vingança não pode esperar um segundo, Ethan tem um breve prenúncio do que o aguarda. A máscara da sua dor é pungente. A partir desse momento, Ethan desce compassadamente os degraus de seu inferno, que ainda lhe reservará surpresas desagradáveis. John Ford, com a sabedoria de um perfeito cozinheiro das almas deste mundo, vai dispondo dos seus ingredientes, com os quais nos dará a receita de um clássico. Manipula elementos dos mitos, dosa o drama com o humor e a alegria das gentes simples, toma o bufão de empréstimo das tragédias inglesas para sublinhar a precariedade do mundinho racional burguês, forja suas personagens com a mesma matéria explosiva da oficina de Zeus.

A sequência de metáforas literárias e mitológicas serve a uma explicação das intenções do autor e a uma breve e precisa definição do conceito de "clássico". Sentimos o encantamento do resenhista com a habilidade do cineasta em "dispor os ingredientes". O crítico consegue contagiar o leitor: assim que terminar a resenha, ele estará ansioso para ver (ou rever) o filme, com preciosas chaves na mente.

Ethan é um herói romântico castigado pelo seu destino de perdedor. Não tem recursos para se agregar à nova sociedade que então se molda, permanece à margem, escorado num código moral primitivo, é um selvagem ainda que vista a roupa dos brancos. A ele se opõe, simétrica e complementarmente, o chefe comanche Scar, que o reconhece como um seu igual a quem chama de "Ombros Largos". Desaparecida Martha, que poderia ainda suavizar os contornos desses ombros talhados a machadadas, Ethan mergulha fundo no olho por olho, dente por dente, escalpo por escalpo.

Martin Pawley, personagem vivida por Jeffrey Hunter, um mestiço de branco com índio que foi salvo ainda menino por Ethan, assume a função de domar o bicho John Wayne, valendo-se seja da sensibilidade dos brancos, seja da sensibilidade dos índios, que só ele dispõe.

> *Quase um adolescente, terá que amadurecer na sela de um cavalo, aprender a matar, a negociar, a lutar com os próprios punhos (valendo um chute bem desferido ou uma mordida bem apanhada no adversário janota), a dialogar com os parvos, para então, cumpridas as etapas do rito de passagem, enfrentar Ethan, chamando-o para a consciência, a ele que até então se recusava a ouvir outra voz que não a do sangue.*

Quem não viu o filme fica sabendo mais sobre a história; quem já viu se interessa pela maneira como o crítico formula sua percepção do estado de espírito do protagonista e a transformação por que vai passando com a entrada de outro personagem. A ideia do "rito de passagem" se torna central, e o leitor passa a pensar em seu próprio amadurecimento (ou seria acomodação?).

> *Lembro, a propósito, a expressão do ódio mais feroz; Ethan ouve grunhidos de uma menina branca que esteve longamente prisioneira entre os índios, e cuja personalidade foi dilacerada pelo choque das culturas em conflito, o seu rosto se crispa, os olhos fuzilam, e Ford nos brinda com uma câmera que se aproxima até o primeiro plano. Agracia o seu ator preferido com o mesmo presente que lhe dera em No tempo das diligências: num movimento semelhante revelava toda a beleza viril e o vigor do jovem Ringo Kid.*
>
> *A conversão é lenta e cheia de percalços; até o final não sabemos ao certo se Martin vai conseguir impedir Ethan de sacrificar a sobrinha transformada em esposa do chefe comanche ou se ele a acolherá entre os braços, num dos mais belos planos do cinema no século, que ainda faz muito marmanjo, cineasta ou crítico, chegar às lágrimas: "Let's go home, Debbie".*
>
> *No plano afetivo, Martin repete Ethan, mas a humanidade será recompensada. Um capricho da história interrompe a cerimônia de casamento de Laurie com Charlie. Cansada de esperar, ela desistirá do amor da infância, pronta a ecoar a sina de Martha, com quem tem, aliás, outros pontos de identificação.*

O crítico sabe observar os recursos de cinema, não só os de câmera mas também os de atuação, ciente da força emocional das imagens. Também usa o filme para fazer uma leitura da vida, do embate entre estabilidade e aventura. E mostra como Ford não cede ao moralismo americano, do lar harmônico, intocado pelo vento das mudanças e das diferenças, e ao mesmo tempo não condena aqueles cuja natureza é essa mesma. Ethan partilha desse impulso, mas outra parte de si fala mais forte.

Pela mesma moldura que abriu o filme, espécie de limiar entre a civilização e a barbárie, entre o lar burguês (um teto e uma cadeira de balanço junto à lareira como sonha Moses, o idiota) e a paisagem imponente do Monument Valley, vemos Ethan se aproximar trazendo no colo a sobrinha remida.

Ele a agrega aos Jorgensen, que vão acabar de criá-la. Assim que Debbie ingressa na casa, Ethan hesita por um instante como se quisesse também ele integrar-se ao conforto daquela ordem, sabe-se lá a que preço restaurada. Mas, logo, Laurie e Martin, entre arrufos de namorados, pedem passagem; Ethan cede o passo e eles entram. Novamente só, Ethan contempla a entrada da varanda a harmonia restabelecida, mas dá meia volta, o seu futuro é permanecer na paisagem, é dissolver-se na luz vermelha do Monument Valley, o guerreiro jamais ficará em paz com a sua terra."

(Carlos Augusto Calil, in Folha conta 100 anos de cinema.*)*

O fecho do texto dá a sensação de que o crítico o escreveu com as imagens finais do filme estampadas em sua mente, de que está envolvido por elas sem deixar de olhá-las com o distanciamento analítico necessário. Ele não tem reparos a fazer ao filme, que admira intensamente, mas seu texto é um claro resultado de um processo de compreensão e juízo, de avaliação das qualidades desse filme em relação a tantos outros. Com cerca de cem linhas (um pouco mais de meia página de jornal, bem ilustrada), reúne as qualidades das resenhas impressionista, estruturalista, informativa e conteudista: declara seu afeto pelo filme, fundamenta-o a partir de sua linguagem, situa o leitor e transmite um ponto de vista sobre a existência.

O valor do jornalismo cultural praticado com tal qualidade é óbvio. Por esse exemplo, fica clara a importância da crítica em seu papel de formar o leitor, de fazê-lo pensar em coisas que não tinha pensado (ou não tinha pensado naqueles termos), além de lhe dar informações.

O crítico tem uma imagem ruim, especialmente em países como o Brasil. Para muitos, é um criador frustrado, que aponta erros que ele mesmo cometeria se estivesse "do outro lado". É chato, ressentido. No máximo, deveria servir como um espectador bem-informado, que não opina, apenas apresenta uma obra ao leitor. Mas os bons críticos não são assim. Se um crítico fosse por definição um criador frustrado, por que grandes criadores como Marcel Proust, Henry James e Bernard Shaw foram grandes críticos? Se um crítico é um chato que procura erros movido apenas pelo ressentimento, por que então a coincidência de opiniões apontada no Festival de Edimburgo? Se devesse ser apenas um apresentador das atrações, como se um processo de filtragem já não existisse na pauta e na paginação, por que a necessidade da indústria cultural de domesticá-lo?

O que se deve exigir de um crítico é que saiba argumentar em defesa de suas escolhas, não se bastando apenas em adjetivos e colocações do tipo "gostei" ou "não gostei" (que em alguns cadernos culturais brasileiros têm sido usados já como título da crítica), mas indo também às características intrínsecas da obra e situando-a na perspectiva artística e histórica. Quer goste quer desgoste de um trabalho, sua tentativa é fundamentar essa avaliação.

Isso tudo significa escrever bem: evitar o banal, evitar o exagero e o deslumbre (como a confusão entre o ator e o personagem, entre a presença física daquela "celebridade" e sua real funcionalidade numa história), não confundir autor e obra (o "eu" de um narrador não é exatamente a mesma pessoa que o escritor, embora normalmente haja pontos de contato).

Para tanto, o bom crítico deve ter boa formação cultural, conhecendo bem não só o setor que cobre, mas também outros setores – quantos mais, melhor. Um bom crítico de cinema não o será se desconhecer a boa literatura e a história das artes visuais; e também deve ter noções sólidas sobre os assuntos abordados pelos filmes, como a Guerra do Vietnã, para citar um exemplo comum no cinema. E, como em qualquer atividade, o bom crítico deve conhecer o melhor que fizeram na sua – deve ler a boa crítica, como a dos autores citados no primeiro capítulo, e acompanhar a imprensa nacional e internacional, para estar a par dos eventos e debates. Saber pelo menos mais um idioma, de preferência o inglês, é indispensável.

Além disso, claro, o crítico não deve fazer ataques pessoais (mesmo que uma obra o desagrade fortemente, é ela que você deve criticar, não o artista em si) e sucumbir ao vedetismo, buscando efeitos para impressionar o leitor. Infelizmente, no Brasil esta tradição é comum. Não é exclusiva da crítica, já que em muitos casos de polêmica o artista ou escritor reagiu com ataques pessoais ao que era uma repreensão analítica. Em determinados meios culturais brasileiros, como o teatro e as artes visuais, talvez por serem pequenos e de difícil sobrevivência, a relação com a crítica se limita a "incorporá-la" (e muitos críticos sentem prazer em "pertencer ao meio") ou rejeitá-la in limine (como se levar uma obra a público não implicasse a possibilidade de receber uma crítica negativa). Mas é óbvio que a crítica, principalmente a que está na vitrine dos jornais todo dia, também sofre de vedetismo muitas vezes, na base do "Eu não gostei e ponto final".

O que predomina, no entanto, é a falta de entendimento sobre a necessidade da crítica. Para o vulgo, ela nem precisaria existir, já que o crítico não é um "juiz". Mas uma função básica da crítica é, sim, julgar, no sentido de fazer uma opção pessoal, de qualificar uma obra em escala (de péssima a excelente), e o leitor que concorde ou discorde. Cabe ao crítico, primeiro, tentar compreender a obra, colocar-se no lugar do outro, suspender seus preceitos, para então sedimentar as ideias e, mesmo que exprimindo dúvidas, chegar a uma avaliação. O leitor, além do próprio artista, quer essa reação. Quer saber o que Carpeaux pensa do novo livro de poesia de Drummond. Quer saber por que vale a pena – ou não – ir ver o mais recente Spielberg. Desse material o jornalismo cultural sempre foi e será feito.

ADENDO: COLUNAS DE OPINIÃO

Quanto a colunas de opinião, valem os mesmos requisitos. Naturalmente, nelas o autor pode assumir um tom mais pessoal, mais solto, como um diário de suas opiniões e reflexões, até porque lida também com a continuidade do leitor, que, mesmo que discorde bastante das posições do colunista, vai sendo cativado por aquela espécie de "amizade intelectual". Mas isso sem prejuízo da preocupação de debater temas, de levantar questões, de evitar consumir espaço narrando eventos pouco relevantes de sua vida ou dizendo o que todo o mundo diz – dois erros comuns no colunismo.

Um grande colunista inglês, o historiador conservador e brilhante Paul Johnson, que há muitos anos tem uma das páginas mais lidas da revista *The Spectator*, escreveu que um bom colunista deve ter cinco atributos: sabedoria (viagens, vivência social, conhecimentos gerais), leitura (sem ser livresco ou professoral, mas. sempre atento às ideias), senso de notícias (recomendando três de cada quatro colunas dedicadas a um assunto em voga), variedade (não ficar num só tema, especialmente se for político ou econômico) e personalidade (a primeira pessoa é imprescindível – "Uma coluna impessoal é uma contradição em termos, como um diário discreto" –, mas o tema constante não deve ser o autor, ou suas relações pessoais).

Os atributos valem para os jornalistas em geral, exceto o último. Mas não existe bom jornal sem bons colunistas. Paul Johnson: "Se você é um colunista, está na linha de frente de uma publicação".

REPORTAR É SABER

A reportagem no jornalismo cultural tem pontos de diferenciação. O motivo é óbvio: o chamado "hard news", o noticiário quente, instantâneo, no calor dos fatos, é menor do que nos outros cadernos. A maioria de suas matérias não está dedicada ao crime que está acontecendo agora ou aconteceu ontem, à declaração política, ao acidente trágico, ao jogo de futebol, ao novo resultado econômico etc. Suas "notícias" em geral dizem respeito à agenda de lançamentos e eventos (livros, shows, exposições etc.): olham mais para o que ainda vai ocorrer do que para o que está acontecendo ou já aconteceu.

Mas é claro que a reportagem noticiosa tem espaço e é importante. O jornalista pode revelar uma ação entre amigos numa premiação ou o valor de um novo contrato de algum famoso. Pode denunciar uma falcatrua na política cultural, ou adiantar o nome do novo secretário ou ministro do setor, ou demonstrar como os recursos públicos não estão chegando aos produtores culturais. Ou pode mapear os problemas dos museus da cidade, as dificuldades técnicas e financeiras de produzir um disco de qualidade no Brasil etc. Ou, ainda, antecipar inéditos de um grande escritor ou revelar que ele, digamos, colaborou com algum regime autoritário.

Nesses casos, como em qualquer outra modalidade de jornalismo noticioso, o repórter cultural apenas tem a ganhar se possui, além de domínio do assunto e criatividade na abordagem, persistência na apuração e imparcialidade no relato. Não deve explicitar totalmente sua opinião, "editorializando" a matéria, embora saiba que a maneira como ela é editada e hierarquizada influi sobre a percepção do leitor. Seu objetivo central é levar uma novidade ao leitor.

Há também os casos das matérias de apresentação, que não pertencem exatamente ao "hard news", mas cujo objetivo também é familiarizar o leitor com algo que ele desconhece. Nestes casos, porém, uma dose maior de subjetividade – olhar interpretativo, passagens em tom de comentário – é até bem-vinda. Se descobre uma passagem interessante da vida de um artista ou acompanha as filmagens de um trabalho muito esperado, o jornalista que puder acrescentar um ponto de vista sobre o tema – explicando ao leitor por que o acha relevante ou em que medida a informação transforma a opinião estabelecida sobre ele – estará fazendo melhor o seu trabalho.

Isso vale ainda mais caso a matéria parta apenas do "gancho", digamos, de que a nova ficção de Rubem Fonseca foi enviada às livrarias; afinal, a notícia em si não precisa de muitas linhas, e o interesse do leitor é saber também se vale a pena ir comprá-lo. Mesmo que a matéria seja dividida em duas (a mais informativa e a mais analítica), quando o autor é um só a credibilidade é maior.

E há a questão das efemérides. Os aniversários de nascimento e morte de artistas e escritores importantes costumam estimular o comodismo: é mais fácil preencher páginas com nomes consagrados, resumindo suas vidas e obras. Mas a data pode ser ótimo pretexto para lançar luz sobre aspectos menos conhecidos ou mesmo reavaliar essas consagrações. Um pouco de perspectiva histórica e inteligência crítica sempre cai bem. Isso vale também para a mania recente de fazer listas sobre tudo: os melhores livros do século, os melhores filmes da década etc. Listas podem ser úteis, mas é bom evitar hierarquias rígidas (uma lista dos dez mais é melhor que uma lista do primeiro ao décimo) e acrescentar comentários a cada item.

No jornalismo cultural brasileiro há dois autores que são mestres em apresentar opinativamente um tema ao leitor: Sergio Augusto e Ruy Castro. Quando eles escrevem sobre um livro que saiu, um disco que marcou época ou um clássico do cinema que foi relançado, trazem para o leitor muitas informações devidamente contextualizadas e deixam claro o que acham do seu tema. Se Ruy Castro é encarregado de escrever sobre os 25 anos da morte de Cole Porter (como foi no *Caderno 2* de 15/10/1989), aproveita a ocasião para esclarecer vários pontos sobre ele – como a suposta declaração de amor ao Rio na canção *It's delovely*, na verdade escrita para as luzes de Java, na Indonésia – e defendê-lo como o maior autor de canções da América, maior até que Irving Berlin e George Gershwin. O título da matéria já não deixava dúvida: *Qual era mesmo aquela palavra? Sofisticação.* E mesmo quem não concorda com ele termina a leitura satisfeito com a qualidade da matéria. Veja um trecho do texto, que ilustra como humor coloquial, teor informativo e argumentos incisivos podem andar juntos:

"*Nestes 25 anos, Cole Porter provou ser indestrutível. Juntamente com Fred Astaire (para quem escreveu, entre outras,* Night and day, Begin the beguine, I concentrate on you, So near and yet so far *e que imortalizou* All of you*), Cole foi o responsável, sem querer, pela banalização da palavra sofisticação – é a primeira que as pessoas vão fatalmente buscar no dicionário quando querem referir-se a ele. É verdade que o acham sofisticado pelos motivos errados, ao confundir com sofisticação o fato de que Cole era um especialista em descrever as terríveis agruras dos muito, muito ricos, 'nas profundezas do 90° andar' (E por que não seria? Afinal ele era sofisticado e triplamente rico, pelo nascimento, pelo casamento e pela sua própria carreira.)*

Mas não basta falar do mundo dos ricos para ser sofisticado, porque Lorenz Hart, que era comparativamente miserável, fez letras tão sofisticadas quanto as suas, para as melodias de Richard Rodgers, e raramente falava dos ricos. Cole era sofisticado até quando falava de vulgaridades, como em Love for sale *e* My heart belongs to daddy. *(...) O que tornava Cole diferente de todos os outros era a sua ousadia em falar de assuntos que a concorrência não se atreveria a tocar com luvas de amianto.* Love for sale, *por exemplo, que é de 1930 e trata de prostituição, ficou proibida no rádio até 1960. As engraçadíssimas* I'm a gigolo, Katie went to Haiti, Let's misbehave, Mister and missus Fitch, Always true to you darling in my fashion, The physician *e* Let's do it, *todas têm um laquê sacana, cheias de 'double' e até 'triple entendres' e, como era normal, nenhuma, exceto a última, chegou perto de uma parada de sucessos."*

(Ruy Castro, "Qual era mesmo aquela palavra? Sofisticação", 1989, in O Estado de S.Paulo.*)*

E há ainda um tipo de reportagem cultural, ainda mais interpretativo, que não é fácil fazer e tem escasseado na imprensa brasileira. É a reportagem que trata de uma "tendência" ou de uma questão em debate no meio cultural. É o caso quando o jornalista tem, por exemplo, de tratar da polêmica que envolve um best-seller, o qual está dividindo opiniões, e precisa contar o motivo dessa polêmica e relatar as diversas opiniões sobre o autor. Ou quando tem de mostrar determinado comportamento cultural em alta – digamos, a moda das "raves", que misturam música eletrônica e drogas como Ecstasy – e, sem preconceito, mas com senso crítico, traçar suas origens, discutir suas implicações, ouvir as diversas opiniões sobre o assunto. Ou quando tem de tentar responder a uma pergunta como "Por que as biografias estão na moda?" sem fazer sua resposta em forma de um artigo de opinião, mas com apuração sobre números e histórias, com comentários de especialistas etc.

Esse jornalismo ainda é pouco praticado, e o que tende a ser feito é apenas a exaltação de uma nova moda, a qual em geral não passa de um modismo, com duração de alguns meses e desprezível herança cultural.

PERFIS E ENTREVISTAS

Um gênero interessante de reportagem interpretativa é o perfil. Não se deve abusar dele, até porque exige bastante espaço (pelo menos, digamos, uma página *standard* de jornal). Mas pode ser leitura saborosa quando consegue contar passagens relevantes da vida e carreira do entrevistado, colher suas opiniões em assuntos importantes, ouvir o que dizem dele os amigos e os inimigos, mostrar como faz o que faz. Em geral, no jornalismo brasileiro, os perfis terminam sempre glamourizando o personagem (detalhando alguns de seus gestos elogiáveis, por exemplo) ou desancando-o (dando corda para seus detratores), dois erros semelhantes pelo fato de que põem o autor à frente da obra. O bom perfil nunca esquece que aquele criador está em destaque pelo que fez ou pela reputação que ganhou fazendo o que fez. É intimista, sem ser invasivo; e interpretativo, sem ser analítico.

Leia a abertura do marcante perfil que Lillian Ross fez de Ernest Hemingway em 1950, na revista *The New Yorker*:

> "Ernest Hemingway, que pode bem ser o maior romancista e contista americano vivo, raramente vem a Nova York. Ele passa a maior parte do tempo numa fazenda, a Finca Vigia, a 15 km de Havana, com sua mulher, uma equipe de nove empregados, 52 gatos, 16 cachorros, duas centenas de pombos e três vacas. Quando ele vem a Nova York, é só porque ele tem de passar por ela a caminho de outro lugar. Há não muito tempo, a caminho da Europa, ele parou em Nova York por alguns dias. Eu havia escrito para ele perguntando se poderia vê-lo quando viesse à cidade, e ele me enviou uma carta datilografada dizendo que tudo bem e sugerindo que etc o recebesse no aeroporto. "Não quero ver ninguém que não queira, nem ter publicidade, nem ficar amarrado o tempo todo."
>
> *(Lillian Ross, "How do you like it now, gentlemen?",*
> in Profiles from The New Yorker.*)*

Em uma dúzia de linhas, a autora dá sua opinião sobre o entrevistado, sugere a importância do momento em sua vida e na dos EUA (pois o maior escritor americano está vivendo na ilha cubana), dá pistas de sua personalidade (isolado da vida urbana, ansioso para escapar dos jornalistas), introduz o tom inicial de suas conversas. Nos parágrafos seguintes, vamos conhecer um autor apaixonado por esportes, por caça, pelos países ensolarados, ao mesmo tempo capaz de ternura, muito culto e, principalmente, muito americano. Um admirador da obra de Hemingway certamente vai lê-la de outra forma depois desse perfil.

Quanto a entrevistas propriamente ditas, na forma de pergunta e resposta, "pingue-pongue", os alertas não são diferentes. O jornalista tem de estar bem preparado, não pedir por dados que uma simples pesquisa antes já lhe traria e, principalmente, evitar as perguntas fúteis. No Brasil, dois erros são comuns: primeiro, temer fazer questões mais contestadoras, que façam o entrevistado se defender de algumas críticas (e o jornalista deve estar consciente de que às vezes é obrigado a fazer perguntas de um ponto de vista que não é o seu, ainda que o entrevistado não saiba disso); segundo, não insistir no esclarecimento de uma resposta, "suitando" (como se diz no jargão jornalístico) uma pergunta à outra, para que o entrevistador não se baste em evasivas ou vaguezas.

Lembre-se: mesmo as celebridades mais mal articuladas se ressentem de ter de responder sempre às mesmas perguntas, do tipo "Como começou sua carreira?", "Qual é seu próximo projeto?" etc. Também duvide do fato de que os fãs dessa celebridade estejam realmente interessados em saber em quem ela vota ou o que ela acha da guerra. E, claro, especialmente quando for, digamos, um grande escritor, procure ler seus principais trabalhos e as entrevistas que já deu antes, para chegar ao encontro com perguntas pertinentes. Há muitas histórias de entrevistados que mandaram o repórter dar meia-volta ao perceberem que não tinham feito a lição de casa.

Por essas e outras, há até jornalistas, como Ivan Lessa, que dizem que "entrevista não é jornalismo" – no sentido de que é aparentemente cômodo alinhavar uma dúzia de perguntas banais e conseguir uma página de jornal com alguém famoso. O que é importante notar é que o formato "pingue-pongue" é adequado para os entrevistados cujas frases sejam boas, marcantes, com bons argumentos ou declarações inéditas. Quando ele não diz nada a não ser lugar-comum, é preferível escrever um texto corrido, como um perfil, o qual pode dar muito mais informações e interpretações sobre aquele personagem. Um dos males do jornalismo atual é ficar demais no terreno do declaratório.

DEZ DICAS

Como o de outras áreas, o jornalista cultural tem de estar atento a algumas dicas fundamentais quando escreve reportagem ou faz entrevista:

1. Não "compre" nenhuma versão. Duvide sempre do que ouve e faça contraste com outros pomos de vista. Não tenha medo de perguntar o que quer que seja a quem quer que seja.
2. Faça uma abertura de texto atraente, sem demorar demais a introduzir o leitor no ponto central da matéria.
3. Mantenha ritmo no texto, amarrando uma informação na outra, para não perder a leitura. Agilidade é indispensável, sem prejuízo do teor informativo. Textos ralos ou que simplesmente empilham os dados são os mais tediosos. Examine a possibilidade de cortar cada palavra.
4. Hierarquize as informações. Escolha as falas e os fatos mais importantes: nem tudo que se apura tem interesse para o leitor. Cuidado com os advérbios. É melhor dizer "nos últimos 15 meses" do que "ultimamente". Quanto maior a precisão, melhor.

E o tamanho do parágrafo é determinado pela necessidade de completar uma informação ou argumento, não por um número de linhas imposto de fora.

5. Evite clichês: chavões ("separar o joio do trigo", "procurar uma agulha num palheiro"), adjetivos gastos ("cena intrigante", "final comovente"), termos pomposos ("deficiente visual" é "cego". Use trocadilhos com parcimônia. Seja coloquial e fluente, sem ser banal e previsível.

6. Preocupe-se em dar título, em propor a foto, em fazer legendas, chapéus e olhos, em interagir com a diagramação. Esses recursos dão cara e cor ao texto e é fundamental que tenham coerência entre si. Nada mais chato para o leitor do que uma produção visual que promete uma matéria que não é aquela e vice-versa.

7. Não abuse dos verbos "discendi", como "diz", "afirma" etc. Muitas vezes o autor da fala já está subentendido e a interrupção das aspas só atrapalha. Também não é preciso ficar alterando o verbo, apenas para não repeti-lo: dê preferência ao "diz". E verbos como "ironiza", "alfineta" etc. só são úteis quando a fala do entrevistado não deixou claro se ele está ironizando ou alfinetando.

8. Traduza sempre que possível o jargão do setor. Um título como "Solos revitalizam investigação coreográfica" (de uma crítica de dança da *Folha de S.Paulo* em 2003) ou "Fulano plastifica o vazio" (de uma crítica de artes visuais de *O Estado de S.Paulo* em 2001) afastam tanto o não especialista como o especialista no assunto. Mostrar familiaridade com o assunto é saber expô-lo de forma clara. Citações devem ser usadas quando são realmente notáveis, não como argumento de "autoridade". E modere o "namedropping", as longas sequências de nomes ou títulos.

9. Seja criativo no texto e na edição. Manuais de redação são apenas para orientação e padronização. Nenhuma "objetividade jornalística" implica não usar metáforas, riqueza verbal, humor. Ou esquecer a importância da pontuação; o ponto e vírgula, por exemplo, parece ter desaparecido dos jornais e revistas. E nada

mais desencorajador do que um título como "Novo livro de Lygia Fagundes Telles chega hoje às livrarias".
10. Dê um fecho ao texto.

A ENGANOSA "DOCE VIDA"

O jornalista cultural costuma ser visto pelos colegas de outras áreas, como a política, a policial e a econômica, com uma série de preconceitos.
Primeiro, supõe-se que ele trabalha menos. Não é verdade. Jornalista cultural sério trabalha muito fora da redação também: lê livros em casa, vai a shows, filmes e exposições, cobre festivais etc. Pode-se argumentar que tais atividades são prazerosas, que ele as praticaria mesmo se não tivesse a obrigação. Mas o fato é que às vezes é preciso virar a noite terminando de ler um livro para resenhar no dia seguinte, e se não fosse o prazo poderíamos deixá-lo para depois. Além disso, a responsabilidade do jornalista cultural é especial, porque ele pode facilmente "quebrar a cara" quando não domina um tema; é preciso ter boa memória e gostar de estudo, para não sair grafando errado os nomes, atribuindo títulos e frases a outros autores, embaralhando conceitos e períodos históricos etc.
Outra suposição é a de que jornalista cultural "não gosta de notícia". A crítica tem lá suas razões, como já analisamos: os segundos cadernos pecam pelos excessos de agenda e "star system", em prejuízo de matérias com maior apuração factual, maior contestação dos esquemas vigentes etc. Mas, como também foi dito, a notícia, no sentido mais imediato da palavra, não tem o mesmo peso no jornalismo cultural. Reportagens, neste caso, exigem até mais faro jornalístico, pois precisam calibrar muito bem o contraste de versões. E a relação com as fontes também tem complicadores.
Um dos principais "pecados" do jornalista cultural é justamente esse, o de confundir afinidades pessoais com avaliações estéticas. Ele vai entrevistar um pintor, digamos, tem uma conversa agradável com

ele e termina não conseguindo escrever o que realmente pensou de suas pinturas. E que não haja ilusões: muitas das pessoas do meio cultural – artistas, produtores, galeristas, editores – se valem de tal expediente: tratam muito cordialmente o jornalista, tentam envolvê-lo, de olho em uma grande matéria de tom positivo.

Outro pecado comum entre jornalistas culturais, em oposição, é o de generalizar demais e atacar a pessoa em vez da obra. Nisso até grandes autores caíram. Nelson Rodrigues e Paulo Francis, por exemplo, eram muito exagerados: faziam críticas por atacado, como à música popular brasileira, sem apontar exceções e nuances ou mesmo com abandono do respeito civil. Daí outra imagem ruim do jornalista cultural, a de ser antipático. A *Ilustrada*, da *Folha*, foi uma das principais causadoras disso, ao dar corda demais para a polêmica fácil, para um tipo de crítico – jovem ou não, não importa – que gosta de zombar da maneira como um artista se veste ou fala em vez de se concentrar no que ele faz. Uma consequência nociva é a perda da capacidade de admiração: preocupado em ser "judicioso" demais, o jornalista (de qualquer área, por sinal) termina cego às qualidades – e todo ídolo passa a ser obrigatoriamente de barro.

Isso, no entanto, não deve ser desculpa para o pecado anterior, para a noção de que a função do jornalista cultural – o simpático – seja levantar a bola para todos que entrevista, como se "falar mal" devesse ser proibido. Muitos dos que o cantor Lobão chama de "coronéis da MPB" agem assim; mas não existe exclusividade, porque diretores de teatro, marchands e patrocinadores também fazem o que podem para evitar críticas, sendo os primeiros a defender a supremacia das reportagens...

Como odeiam ser criticados, tentam de qualquer maneira desqualificar o crítico, inclusive "pedindo a cabeça" do cidadão a seus chefes, escrevendo cartas raivosas ou proibindo sua entrada nos locais, como fizeram certa vez com a veterana crítica de teatro Bárbara Heliodora. Nestes casos, o jornalista não tem de se deixar abalar, mesmo porque dificilmente, hoje em dia, esse tipo de ação dá resultados. Se alguma "vaca sagrada" da cultura nacional o tomar por inimigo, não deve reagir da mesma maneira. A própria diferença de conduta deixará explícita a falta de educação e o passionalismo do outro.

E a imagem do jornalista cultural como privilegiado e antipático não é exclusiva dos meios jornalístico e artístico. Os professores universitários, os acadêmicos brasileiros em geral, partem da premissa de que ele é egocêntrico e/ou superficial. Invejam seu nome estampado quase todo dia nas publicações e acham que, por esse excesso de exposição e produção, seu trabalho será necessariamente oco. É verdade que muitos jornalistas culturais atualmente são despreparados ou, em alguns casos, se colocam à frente de seu objeto de análise. Mas isso não tira a importância de seu papel, nem a possibilidade de que lance luz sobre os temas. Alguns artigos de jornal, na verdade, são mais originais que grande parte das exaustivas teses de pós-graduação que se leem por aí. Tamanho não é apanágio de profundidade.

O jornalista cultural, em resumo, tem de ter temperamento forte e equilibrado, para manter sua independência e não descambar para o julgamento fácil, quer positivo quer negativo. E isso não sai barato.

A PRAGA DO JABÁ

Para finalizar, um comentário sobre a questão do "jabá" (de "jabaculê"). Há o jabá ilegal, que é a propina paga por gravadoras a rádios para que executem as músicas que elas querem (e os locutores não raro anunciam como "as mais pedidas pelos ouvintes"). Isso não é apenas falta de ética, é propaganda enganosa e assim deveria ser julgada.

E há o jabá que não é ilegal, obviamente, mas que o jornalista cultural tem de saber recusar. Exemplo banal: lembro uma vez em que fui convidado por uma dona de galeria para visitar uma exposição e ela ofereceu sua Limousine para me apanhar. Na maioria dos casos, por sinal, o ideal é que a publicação pague a viagem do jornalista ou, pelo menos, que informe no pé da matéria quem a pagou. Boa parte da pobreza jornalística dos cadernos de viagem dos jornais brasileiros se deve a essa dependência dos convites de agências e companhias aéreas. Quanto aos "presentinhos" (de canetas a vinhos, de chaveiros a camisetas), em certa época a *Gazeta Mercantil* criou uma regra: os de valor superior a 25 dólares deveriam ser devolvidos.

Certas coisas são praxes que não devem ser confundidas (por nenhuma das partes) com jabás. Críticos de literatura precisam receber das editoras a maioria dos lançamentos. Críticos de cinema precisam ver cabines (sessões prévias) dos filmes que vão estrear, assim como críticos de teatro ou música precisam ter acesso a ensaios ou "previews". Etc. E assim é no mundo inteiro. A premissa é a consciência do responsável por uma obra pública de que, por ser pública, ela está sujeita também à avaliação especializada, seja positiva seja negativa – caso contrário, não a leve a público. Tal "contrato intelectual" é uma das conquistas da civilização, pois implica a liberdade de expressão.

Muitas vezes, porém, presenciei a agitação de críticos de música, por exemplo, com a chegada de mais uma sacola de CDs, recebida como a sacola de Papai Noel, pelas mãos de um assessor de imprensa (divulgador a serviço da gravadora) tratado frequentemente como "amigo". É muito importante que o jornalista cultural, quer faça crítica regular quer não, saiba delimitar o caráter profissional e o caráter eventualmente mais pessoal de uma relação desse tipo. Um pouco de reserva é obrigatório.

O mesmo vale para sua relação com artistas, escritores etc., sobre os quais costuma escrever. Não existe (nem deveria existir) uma regra que impeça que críticos e criticados sejam amigos, para além de seus contatos profissionais. Mas é bom, caso aconteça essa amizade, que se deixe claro, para ambos os lados, de que há esses dois níveis de relacionamento – e, se o desentendimento profissional perturbar o pessoal, azar da amizade.

Tal atitude, diga-se, não é muito comum no meio cultural brasileiro. Como nossa cultura hipervaloriza os laços afetivos e ainda há muito espírito de "compadrio" ou "clubismo" na mentalidade nacional, o que Sérgio Buarque de Holanda apontou no clássico *Raízes do Brasil*, é comum que um jornalista se deixe envolver – mesmo quando não há maldade, mesmo quando tudo se passa inconscientemente – e perca parte da clareza sobre essas relações. Esse talvez seja o maior desafio do jornalista cultural brasileiro, além da resignação (hoje quase universal) diante da grandiosidade da indústria cultural, de seu sistema de celebridades e megaorçamentos.

Acredito, por sinal, que na maioria das situações se trata de uma ingenuidade, de um envolvimento subconsciente. Mas que tem consequências no exercício profissional: um dos vícios da cultura brasileira, a complacência, ganha força dessa maneira. Por estar afetado pela impressão ou relação pessoal, o jornalista afrouxa seus critérios sem perceber e não se sente à vontade para criticar com incisividade; no máximo, faz meras "ressalvas", travestidas em "mas" e "poréns", É uma espécie de jabá tácito.

Um caso sempre citado é o da crítica de cinema e sua relação com a produção nacional. Depois de 1994, por exemplo, confundiu-se a satisfação por ver sua retomada com o mérito verdadeiro de cada um dos filmes; todo lançamento era "saudado" quase por sua simples existência, e nenhum filme era considerado ruim – no mínimo, regular. A origem, na verdade, é bem anterior. Nos anos 60, um crítico de cinema como Paulo Emilio Salles Gomes – de estilo elegante e erudito e gosto sólido e eclético, livre de métodos analíticos restritivos – chegou ao ponto de afirmar que qualquer filme brasileiro é mais importante que a melhor obra-prima do cinema internacional. Era um óbvio atentado ideológico à inteligência.

CAPÍTULO IV

Aqueles foram os dias

UM (FELIZ) ESTRANHO NO NINHO

O momento mais interessante que vivi como jornalista cultural, especificamente, foi o período em que estive à frente do caderno *Fim de Semana* – por extenso, *Leitura de Fim de Semana* – da *Gazeta Mercantil*. Depois de cinco anos no jornalismo cultural diário de dois grandes jornais, *O Estado de S.Paulo* (1991-1992) e *Folha de S.Paulo* (1992-1995), nos quais sofri o "batismo de fogo" da cobertura assídua de duas áreas – livros e exposições – como crítico e repórter, acumulando alguns "furos", acertos, erros e polêmicas e assinando muitas capas de caderno, tendo também ocupado cargos de editor-assistente (além de ter publicado textos em todas as seções, do tabloide infantil ao caderno de economia), a oportunidade de me tornar editor de um suplemento semanal foi muito bem-vinda.

O *Fim de Semana* existia havia pouco mais de um ano quando fui convidado a coordená-lo a partir de dezembro de 1995. Tinha seis páginas em formato standard e se dedicava quase exclusivamente a publicar traduções de artigos longos (de publicações como *The Economist, Financial Times, Business Week* e *Wall Street Journal*), colunas de economia e matérias sobre leilões de arte e livros de negócios.

A ideia do então diretor de redação da *Gazeta*, Antonio Pimenta Neves, era fazer um caderno com ênfase nos assuntos culturais, mais ainda que o *Weekend* do *Financial Times*, e para isso ele já contava com dois colaboradores, Sonia Nolasco (profissional de primeira, mulher de Paulo Francis, que foi quem me indicou para a *Gazeta*) e Pepe Escobar, que iniciariam junto comigo. Sonia escreveria de Nova York e Pepe, de Paris e outras regiões do planeta. Na redação em São Paulo, o caderno contava com Brian Gould, jornalista inglês radicado no Brasil havia mais de vinte anos e responsável pela seleção e edição das traduções, e com dois jovens redatores, André Lachini e Priscilla Murphy.

Pouco tempo depois, conseguimos resgatar José Onofre, grande jornalista então um pouco esquecido, para escrever sobre livros e filmes, e trouxemos Gabriel Priolli, também dono de bom texto, para assinar uma coluna sobre televisão. Luís Antônio Giron veio ser uma mistura de repórter especial, crítico de música (cuja seção Fonoteca seria depois imitada em outras publicações) e editor-adjunto. A partir de outubro de 1996, depois de ter assinado coluna semanal na página 2 do jornal durante alguns meses, criei no suplemento a Sinopse, um rodapé sobre assuntos diversos, que funcionaria como um caderno de anotações do que eu leio, vejo, escuto e reflito.

A essa altura, o caderno já chamava muita atenção, ainda que a precariedade da produção não fosse desprezível. Como a *Gazeta* não publicava fotos, não possuía banco de imagens nem fotógrafos. O *Fim de Semana* teve de criar uma linguagem visual que não destoasse da sobriedade do jornal. Abusávamos das reproduções de livros e ilustrações, e eu era obrigado a desenhar todas as páginas sem exceção. Depois contratamos como freelancer o fotógrafo Juan Esteves, que também tinha sido meu colega na *Folha*, e começamos a publicar seus excelentes retratos de personalidades culturais, além de outros gêneros de imagens. Outra deficiência era a falta de um borderô próprio, que me permitisse contar com intelectuais de renome ou bancar viagens mais longas.

Em 1997, o caderno chegou a 12 páginas e a repercussão aumentava na forma de cartas, fax, e-mails e telefonemas. O equilíbrio entre os assuntos mais propriamente culturais (livros, exposições, discos, espetáculos, filmes) e os outros temas (da política e da economia até a gastronomia e a moda) chegou ao ponto certo. Depois da saída de Brian, André e Priscilla, começamos a montar uma equipe com mais repórteres, trazendo os experientes Gonçalo Júnior (bom em MPB, quadrinhos, história política), Joana Monteleone (formada em história, vinda do hoje extinto *Caderno de Sábado* do *Jornal da Tarde*) e Sérgio Vilas Boas (autor de longos perfis e reportagens sobre literatura e remas diversos) e as iniciantes Flávia Fontes (dança) e Alessandra Simões (exposições). As combinações – de críticos e repórteres, de velha e nova geração, de densidade e leveza – caíram no gosto dos leitores.

Com o novo diretor de redação, Mario Alberto de Almeida, e o editor-executivo para suplementos, Albino Castro, em 1998, o caderno ganhou novo empuxo. Marcelo Rezende, depois de o jornal ter demitido Pepe Escobar, se tornou o correspondente em Paris. Alessandro Greco começou a produzir jornalismo científico, no qual até então dependíamos apenas de traduções. Orlando Margarido veio fazer um roteiro cultural seletivo e caprichado, que era editado em folha solta ("macarrão") para facilitar a vida do leitor. Rosane Pavam veio ser editora-adjunta, liberando Giron para reportagens mais ambiciosas. Ricardo Calil se tornou o correspondente em Nova York. E a maior estrela: Ivan Lessa, de Londres, iniciou colaboração quinzenal, misturando memórias (o Rio pré-1964, a redação da revista *Senhor* etc.) e resenhas de livros. Aumentos foram dados, e o caderno, já com 14 páginas, chegou ao auge em qualidade e audiência.

Uma pesquisa foi encomendada e se descobriram três dados importantes: o caderno era a seção do jornal mais bem avaliada depois da primeira página; o número de pessoas que o colecionavam era alto (quase 30%); e o jornal vendia 50% mais nas bancas às sextas-feiras por sua causa. Nada mau para um caderno que, quando comecei a editar, ouvi que não daria certo "porque os executivos brasileiros não querem saber de cultura". Pois sim. Não só ele foi muito bem aceito pelos leitores da *Gazeta*, mas também ajudou a conquistar novos leitores (e leitores mais novos) para o jornal. Médicos, escritores, professores – muita gente que não tinha o hábito de lê-lo tomou o caderno como porta de entrada para o restante do jornal.

Foi nessa época que a *Gazeta* chegou a uma tiragem de quase 130 mil exemplares, e o caderno certamente deu sua cota de colaboração para esse número. Além disso, conquistou prestígio e foi o inspirador de outros cadernos novos do próprio jornal, como o *Grande São Paulo* (caderno diário em que cheguei a assinar colunas de TV e futebol) e o *Viagem*, que também ajudaram a formar a primeira equipe de fotógrafos da *Gazeta*. Até uma matéria na revista *Imprensa*, apesar de conter erros e maledicências pontuais, celebrou o caderno, colhendo elogios de Elio Gaspari, Sergio Augusto e Carlos Heitor Cony. Era, mais do que nunca, um "succès d'estime" ou, como se diz hoje, um "cult".

Eis um exemplo dessa fase, que mostra como tratar de um assunto sério e gasto – o Maio de 68 na França – revelando sua recepção atual ao observar detalhes e atitudes e interpretar sua herança contraditória:

> *"No último dia 27 de abril como em todas as segundas-feiras – a rotina das manhãs do início da semana –, bancas de jornais de Paris receberam mais um número da revista feminina* Elle. *Na capa, contrastando com um fundo vermelho, o lindo e aristocrático rosto da modelo italiana Carla Bruni exibia um sorriso discreto, seus seios quase à mostra. Mas a atenção dos passantes não estava voltada para sua beleza, e sim para o livro vermelho de Mao Tsé-Tung,* Cinco ensaios filosóficos, *que usava na cintura, combinando com o 'cap' do Exército Popular da China sobre seus longos cabelos lisos. Foi o que os franceses costumam chamar de 'la cérise sur le gâteau', o detalhe final, o último retoque, a surpreendente cereja no topo do bolo das comemorações de um fato histórico que permanece na memória do país como felicidade ou maldição: os dias da revolta estudantil de maio de 1968.*

Assim como em junho a França será um santuário para os amantes alucinados do futebol, com a Copa do Mundo, maio faz da capital do país o lugar santo do fervor revolucionário. Para aqueles que eram jovens demais para lembrar, ou ainda muito velhos para não desejar não esquecer, há ciclo de palestras, mostras de filmes, novidades nas livrarias, programas especiais nas rádios, jornais em edições comemorativas e, obviamente, muitas capas de revistas. Bruni repousa ao lado do ator Jean-Pierre Léaud, brandindo o mesmo livro vermelho de Mao no Cahiers du Cinéma *(uma cena de* A Chinesa, *de Jean-Luc Godard), seguido de várias publicações semanais que prometem relatórios secretos da CIA, da então URSS ou do próprio governo francês sobre o momento de revolta acontecido há trinta anos. Seguindo uma tradição cultural da França, tudo não se resume a uma festa comemorativa. Usa-se um fato decisivo do passado para entender o que acontece no presente. E as consequências para o futuro.*

O ano de 1968, a história mostra, não foi um período conturbado apenas na vida política francesa. Houve ruído, passeatas, violência, prisões e manifestações em Londres, Tóquio, Cidade do México, Praga, Berkeley (nos EUA), Roma, Amsterdã, Rio de Janeiro e São Paulo. Apesar de muitas diferenças nas situações que as geraram, havia de comum ao menos uma aspiração: a de que uma revolução poderia ser feita para que um novo homem e sociedade surgissem a partir dela. Uns pediam a morte do capitalismo para dar lugar ao socialismo. Outros, que o socialismo se livrasse da asfixia autoritária da burocracia para se realizar em sua plenitude. O momento pode ter sido do mundo, mas foram os franceses que cuidaram dos acontecimentos de tal forma que terminaram por sugerir que tudo foi mais importante ou decisivo em Paris. Uma fábula contada às crianças, tão presente no inconsciente da nação quanto a Revolução Francesa de 1789, a dominação alemã durante a Segunda Guerra, o Louvre, Coco Chanel e o general Charles De Gaulle. E tudo começa, claro, com esse último personagem e a ideia de que sua república era um Estado autoritário.

O grande maio francês teve início, na verdade, em março. Exatamente no dia 22, quando 150 estudantes da Universidade de Nanterre ocuparam os escritórios da administração local. Poucos dias depois, formariam um grupo anarquista. Entre eles, o então rapaz que seria o rosto e a voz de maio: o alemão Daniel Cohn-Bendit. Danny, o vermelho, o comunista que entrou em choque – explosivo – contra o governo francês. O que se seguiu foi um 'efeito cascata'. As universidades entraram em greve. No dia 3, um choque entre policiais e alunos da Sorbonne resulta na prisão de 596 pessoas. Quatro dias depois, trinta mil desfilam pelas ruas da cidade cantando a Internacional comunista. Em 10 de maio, as coisas pioraram, e surgem as imagens conhecidas. As ruas do Quartier Latin se transformando em pedras amontoadas e usadas em uma espécie de guerrilha urbana. São 60 barricadas. Depois das tropas do governo, se transformaram em 367 feridos graves (251 policiais) e 188 viaturas destruídas. O governo declara que 'a desordem é resultado de uma ideologia confusa. Anarquista, castrista, maoísta. Tudo se mistura no niilismo dessas pessoas.' De Gaulle sabe que esses jovens o querem fora, e os operários se unem a eles no dia 13 com uma greve geral. Uns pedem um novo Estado, seguindo o modelo da China de Mao. Outros, um conselho de operários. Concordavam em um ponto: não desejam capitalismo ou mercado.

Foi assim, ao menos como fato, que tudo aconteceu. E desde o início do mês, com comemorações, há uma indefinição sobre o tom a ser adotado sobre esses mesmos acontecimentos. Para uns, 68 foi a 'última chance de revolução'. Para outros, um 'grande momento de ingenuidade' e, segundo ainda um terceiro grupo, 'uma coisa que ninguém sabe ao certo'. Os intelectuais aparecem na imprensa e procuram falar sem saudosismo ou rancor, enquanto pesquisas de opinião tentam descobrir se, para quem tem hoje vinte anos, a filosofia de Karl Marx é ainda relevante. O que é ressaltado, no lugar da política, é a 'liberdade dos jovens de 68', em que a derrota prática deu lugar a uma vitória no campo comportamental (liberdade sexual, feminismo). Reivindicações representadas nos slogans de orientação situacionista da época: 'A liberdade está nas ruas', 'A vida e nada mais', 'Não trabalhe nunca', 'A anarquia sou eu', 'A imaginação no poder' ou 'O único dever do revolucionário é fazer a revolução'. Frases que, quase literalmente, perseguem algumas pessoas.

'Não, eu não sei de nada, não tenho boas lembranças de 68.' 'O sr. falaria para um jornal brasileiro?' 'Não, pergunte aos outros. O livro me foi enviado, eu nada sei dele. Não tive nada com aquele movimento!' As recusas são de Michel Askevis, que teria permanecido anônimo se não fosse a publicação de No copyright – Sorbonne 68 graffiti. No início do ano, em um laboratório de Paris, foi achada uma pasta com folhas amarrotadas de papel. O documento – que continha cinco nomes de 'autores' – era um levantamento das frases pichadas nas universidades durante os dois dias de greve. O nome de Askevis estava ao lado do de

Annie Dequeker, hoje uma senhora de 58 anos. Uma dos 'outros': 'Eu não me lembro de ter anotado as frases. Me lembro de Cohn-Bendit na cafeteria. Gostava muito dele. Eu era anarquista e aquele tempo foi como um sonho. Hoje sou mais reservada quanto à sua carreira. Li um artigo dele contra a abstenção do voto. Mas na época lutávamos por esse direito. Se você não se sentia representado por nenhum grupo, poderia não votar. E agora ele é... Mas também vemos no que a abstenção pode dar. O crescimento da Frente Nacional'.

Mais uma vez, a Frente Nacional o partido da extrema-direita francesa. E o temor gerado por ela de que a França se aproxima do fascismo. Se as reações das lembranças de maio oscilam entre os grupos de Askevis (renegar) e Dequeker (exaltar), há em comum a estranha sensação de 'algo que permanece no ar'. O mesmo 'algo' que quase causou uma guerra civil há trinta anos.

Em 1961, durante a luta pela independência da Argélia, para os 'sessenta e oitoístas', o momento em que o governo francês começou a expor mais duramente sua face autoritária, um grupo de argelinos entrou em confronto com as tropas de segurança de Charles De Gaulle. O acontecimento é uma espécie de tabu francês. Ninguém sabe ao certo quantas pessoas morreram. Estimam-se em sessenta os argelinos que se afogaram – ou 'foram afogados' – no Sena. Quem liderou a ação foi Maurice Papon, o mesmo homem condenado em abril deste ano por crimes contra a humanidade por ter colaborado com o regime nazista na França dos anos 40 –, funcionário de carreira do governo durante a década de 60. (Carla Bruni namorava um dos advogados do 'Processo Papon'. Um dos mais jovens, que chegava no tribunal de patins.)

E há ainda mais confusão entre o que aconteceu e o que acontece. Nas exposições de fotos de maio, existe uma que mostra a volta de De Gaulle à França no dia 29, depois de negociar na Alemanha a fidelidade das tropas francesas estacionadas no país, caso se concretizasse uma tentativa de revolução comunista. Na imagem, De Gaulle encontra seus ministros e auxiliares. Entre eles, um jovem aparece na imagem. É Jacques Chirac, o atual presidente de todos os franceses. Na França, não se trata apenas de uma frase de efeito. 1968 é um ano que realmente não terminou. Está nos jornais todos os dias."

(Marcelo Rezende, "Paris, maio de 1968".
in Gazeta Mercantil, *8/5/1998.)*

De olho nesse sucesso, e também preocupada com o anúncio da chegada de um concorrente (o jornal *Valor Econômico*, que sairia a partir de maio de 2000, numa parceria da *Folha* com *O Globo*), no final de 1999 a direção do jornal me incumbiu de conceber uma ampliação e reformulação do *Fim de Semana*. Ele passaria a 24 páginas, ganharia projeto gráfico e entraria de forma mais sistemática em assuntos supostamente de apelo publicitário, como gastronomia, design e até finanças pessoais. A ideia era que tais seções trouxessem mais anúncios para um caderno onde, dado o descaso da maioria das empresas em relação à cultura (salvo onde o benefício fiscal é compensador), raramente eles somavam mais que uma das 14 páginas. O caderno também seria vendido separadamente em bancas onde a *Gazeta*, cuja circulação é quase toda para assinantes, não costumava estar.

A equipe cresceu ainda mais. Vieram Toninho Mendes, para a edição de arte, Andréa Alberti, para a produção, Elaine Bittencourt, para o Roteiro Cultural, Adélia Borges, para editar as duas páginas de Design & Estilo, Arnaldo Lorençato, para as duas de gastronomia, e Eduardo Geraque, para a única de esportes. Também a ciência ganhou duas páginas fixas, primeiro coordenadas por Greco, depois pelo mesmo Geraque. O caderno ainda incorporaria a equipe do *Viagem*, comandada por Luís Kraus, que teria três ou quatro páginas no suplemento. Em fevereiro de 2000, o projeto novo entrou em circulação, precedido de lançamentos em São Paulo, Rio e Recife e de uma campanha publicitária. O caderno, que começara mais de quatro anos antes com seis páginas e sete pessoas (somando redação, colunistas e correspondentes), tinha agora 24 páginas e mais de vinte pessoas.

O caderno só saiu ganhando com o aprimoramento visual e a fixação das seções de gastronomia, viagem, design e esportes. E também com um apoio estrutural que até então não havia tido.

Mas também sofreu perdas. A pressão para se tornar teoricamente mais "comercial" se fez sentir: assuntos mais culturais, como uma exposição de fotos de Brassaï em Paris ou até mesmo os quarenta anos da fundação de Brasília, não eram muito aceitos, embora logo se tenha visto que uma seção como a de finanças pessoais estava editorialmente deslocada ali. Anúncios para as seções de gastronomia e design apareceram, mas eram poucos e a maioria deles continuava a ser para as páginas de turismo. E muitos leitores não gostaram da nova abrangência do caderno, declarando saudades daquelas 14 páginas livres e culturais, quase "artesanais", com as quais tinham criado apego afetivo.

 O maior problema, porém, era a administração do jornal, que não soube lidar com o próprio crescimento e tropeçou em sua ambição e desorganização, além de enfrentar a crise que atingia a economia em geral e a imprensa em especial. Salários atrasaram (cheguei a ficar sem o meu por cinquenta dias) e até uma greve esboçamos no final de 1999. Perdi colaboradores como Ivan Lessa, que ficava esperando mais de dois meses para receber o pagamento de um artigo. Convidado para voltar ao *Estado* como editor-executivo e colunista de domingo, decidi cumprir o compromisso de finalizar o projeto e em seguida partir – o que ocorreu em maio de 2000. (Dali em diante, confirmando os temores, a situação dos empregados da *Gazeta* se tornou insustentável, e muitos ficaram sem receber o que lhes deviam.)

 Também sentia, individualmente, que um ciclo se encerrara; e jamais me arrependi de minha decisão. Mas senti mais uma vez o quanto o jornalismo cultural de qualidade tem adversidades a enfrentar no Brasil. Minhas críticas às picaretagens de artistas plásticos e intelectuais "amigos do rei" já haviam custado a saída de dois jornais, e agora um período memorável de quatro anos e meio terminava desse jeito. De qualquer forma, continua valendo a pena.

VIAGEM ORIGINAL

Uma das matérias mais agradáveis que fiz nos anos do *Fim de Semana* foi uma reportagem, apesar de todo o prazer que tive em cada resenha, coluna e ensaio que escrevi. No início de 1997, li em alguma revista uma notinha sobre um livro que estava sendo feito com as pinturas rupestres do Parque Nacional da Serra da Capivara, no sul do Piauí. Antes eu já lera muitas coisas sobre a antropóloga Niéde Guidon e sua luta pela revisão dos conceitos e datações a respeito da origem dos povos sul-americanos. Tive vontade imediata de ir para lá, entender um pouco mais da controvérsia e visitar uma região no coração da caatinga onde um tesouro arqueológico havia sido encontrado. Uma boa história, com debate intelectual, e uma grande personagem, num cenário inóspito – a reportagem tinha todos os elementos necessários para atrair leitura e, ainda, uma boa pitada de aventura. A propósito, reportagens que envolvem viagem e a descoberta de um mundo diferente são, claro, as mais fascinantes para um jornalista cultural.

Apresentei a ideia para a direção do jornal e chamei o fotógrafo Juan Esteves para me acompanhar. Comprei livros e pesquisei em arquivo tudo que houvesse sobre o tema. Telefonei para Niéde, combinei a data e, no final de fevereiro, fomos passar quatro dias lá. No primeiro dia, ela nos acompanhou a alguns dos sítios mais importantes, explicou as diferenças de linguagem entre cada período histórico, esclareceu o ritual de cada cena pictórica. Nos outros dias, acordamos antes do sol para viajar quilômetros de carro, por estradas de barro, e depois caminhamos outros tantos quilômetros até chegar a outros sítios, mais distantes. Numa dessas aventuras, atravessamos – eu carregando o equipamento do Juan, que tem problemas de coluna – um belo despenhadeiro até encontrar uma pequenina gruta que contém um desenho feito em azul, o único encontrado até agora. Há muitas grutas ainda por ser estudadas no parque, muitas questões para serem respondidas.

À noite, ia lendo os livros e apostilas que Niéde me passara, para no dia seguinte lhe perguntar sobre as críticas feitas tanto aos métodos de datação como às conclusões tiradas. Mas logo percebi que a reportagem ficaria melhor se eu me concentrasse na voz dela, solitária, ali em meio ao abandono brasileiro, sem recursos financeiros e humanos. Quando voltei, decidi estruturar a reportagem como os capítulos de *Os sertões*, de Euclides da Cunha: A terra, O homem, A luta. Era para acentuar o descaso do Brasil litorâneo com sua história interior, com suas origens profundas. Abri com uma descrição do lugar, depois contei como são as figuras nas grutas e encerrei com os problemas enfrentados por Niéde para levar sua luta adiante. Reservamos três páginas coloridas para a matéria, a capa mais uma dupla, e tratei de dar tanto espaço às fotografias quanto aos textos, por motivos óbvios.

Acho que nunca tive tanta repercussão com uma reportagem. Muitos leitores escreveram, outros jornais e emissoras de TV foram atrás etc. Niéde me disse que até um senador telefonou prometendo tentar amparar o parque. É claro que muito pouco foi feito, mas pelo menos um bom número de pessoas, direta ou indiretamente, adquiriram informações sobre a situação e o debate existentes ali. Igualmente satisfatório foi ver que, desde então – não por influência da reportagem, mas mostrando nela alguma propriedade –, a chamada Teoria de Clóvis, segundo a qual o homem chegou à América do Sul vindo da América do Norte há no máximo 12 mil anos, perdeu cada vez mais credibilidade. Hoje se reconhece, no mínimo, que o sul-americano é mais antigo que isso, como postula Niéde. Eis a matéria:

"*A terra*

Coordenadas: 08° 26' 50" e 08° 54' 23" de latitude Sul e 42° 19' 47" e 42° 45'51" de longitude Oeste. Neste quadrilátero de quase 130 mil hectares está o Parque Nacional da Serra da Capivara, onde pode ter surgido o primeiro homem americano há pelo menos quatro vezes mais anos do que se supunha. Este endereço, em meio à caatinga do sudeste do Piauí, é um vasto e fértil território de informações ainda por apurar ou confirmar, mas os antigos esquemas teóricos que ditam que a vida humana nas Américas jamais ultrapassaria os 12 mil anos de idade enfrentam aqui seu maior desafio. Foram encontrados vestígios que datam de 48 mil anos e, especialmente, pinturas que chegam a 18 mil anos segundo datações por carbono-14. Já são quatrocentos sítios arqueológicos, dos quais apenas dez foram estudados a fundo. Arqueólogos, antropólogos, biólogos, geólogos e outros pesquisadores estão diante de décadas de um trabalho fascinante e polêmico nesta região que a Unesco declarou patrimônio cultural da humanidade. No coração geográfico do Brasil, em suma, mais um tabu da arqueologia parece estar caindo neste fim de século.

O caminho a percorrer, no sentido figurado e não, é longo. Chega-se à região em voos da TAM ou Rio Sul que desembarcam no aeroporto de Petrolina (PE), de onde se aluga um carro para rodar trezentos quilômetros em direção a São Raimundo Nonato (PI), cruzando o noroeste da Bahia. Ao nos aproximarmos do destino, uma placa oficial anuncia "a cidade da pré-história rumo ao ano 2000": São Raimundo, uma cidade bastante pobre e atrasada, de 24 mil habitantes. É o ponto urbano mais próximo dos principais sítios do parque. O trajeto até eles, ao contrário do Petrolina-São Raimundo, é feito por uma estrada de terra esburacada pela qual nos deslocamos à velocidade média de 30 km/h. Então somos informados: trata-se nada menos do que a rodovia federal Teresina-Brasília, vulgo BR-20. Cabras, bois e cachorros margeiam a estrada e às vezes a cortam, obrigando à redução da velocidade.

O ar é parado e denso, sem ventos. A vegetação tem o que os biólogos chamam de uma "biomassa" considerável, e até mesmo canafístulas tingem de amarelo a relativa monotonia do verde, mas estamos no período de chuvas, que vai de novembro a março. De abril a outubro tudo isto é vítima da estiagem, com as árvores secas, o pó e o chão rachado que formam nossa imagem habitual da caatinga. Na primeira semana de chuvas – nos informa a guia Nilva Lopes (R$ 15 a diária, oito a dez acompanhamentos por mês) – tudo já está verde de novo. Uma explicação aventada para esse contraste e volume diz que a região teria sido uma floresta úmida em tempos remotos. A hipótese justificaria *a descoberta de ossadas e indícios de animais de grande porte, como o mastodonte, a preguiça-gigante e tatus de 2,5 metros, em regiões ao redor do parque onde predomina o solo calcáreo.* Na Serra da Capivara, onde não há capivaras (que vivem em charcos), predomina o arenito, cuja acidez liquida os restos ósseos. A mata do parque, se considerarmos que estamos em plena caatinga, realmente impressiona, assim como os desfiladeiros que o cicatrizam em alguns pontos. As formações geológicas são diversificadas e bonitas.

Mesmo assim, o ar quente e seco paira sobre a região, dificultando a vida local e a vinda dos pesquisadores. Passamos por casas e vilas que lembram Morte e vida Severina. Os habitantes "assim como a "rodovia federal" – confirmam a impressão de que o Piauí é um dos estados mais subdesenvolvidos do País. Administrar um parque nacional e patrimônio cultural já é difícil; nestas condições, heroico. Quem conduz tudo, com abnegação de missionária, é Niéde Guidon, uma mulher pequena e incansável, que está aqui há mais de vinte anos, enfrentando não só a falta de infraestrutura mas também as críticas e os preconceitos dos arqueólogos que procuram, antes mesmo de estudá-lo, diminuir a importância deste complexo de sítios. "Ainda sabemos muito pouco sobre isto aqui, mas o preconceito e o purismo não vão ajudar em nada", diz Niéde. "Precisamos primeiro continuar as pesquisas e datações, depois especular." Ela sabe que a arqueologia é a arte de procurar fragmentos do passado no terreno movediço do presente.

Niéde preside a Fundação Museu do Homem Americano (Fundham), uma ONG que junto ao Ibama administra o parque e coordena as pesquisas. Também busca criar uma estrutura para visitação turística, que já se ensaia promissoramente. Dos quatrocentos sítios, trinta podem ser visitados, com acompanhamento de guia e acesso relativamente fácil e seguro. Alguns exigem caminhadas de mais de uma hora, e recomendam-se carros fortes e altos. Para quem não tem muito espírito aventureiro, há sítios a que se chega de carro depois de uma hora pela rodovia e pelas estradinhas (muito mais bem conservadas do que a BR-20) dentro do parque. Num passeio de um dia podem-se conhecer, digamos, três sítios importantíssimos e ter uma ideia palpável do que se está pesquisando aqui. Você verá, sobretudo, um grande número de figuras pintadas em paredões de pedra, que ligeiramente curvados no topo, formam as tocas onde o homem americano se refugiava da chuva, acuava animais e vivia em sociedade.

O homem

Nossa primeira parada é o sítio mais famoso e importante, o sítio da Pedra Furada, ou Boqueirão da Pedra Furada. Incrustado numa formação rochosa que lembra um chapadão, é extremamente alto e imponente. A condição para o visitante, aqui, não poderia ser melhor. Há um posto de vigilância, as trilhas são cimentadas, as escadarias são de pedra, passarelas de madeira com corrimão foram postas tara o visitante percorrer as imagens ao longo do paredão a um metro (ou menos) de distância do olho. É realmente, como diz um folheto turístico, um "museu arqueológico ao ar livre". Depois da altura e do formato, o que chama a atenção é a cor da rocha, um salmão claro. Ali nos deparamos com um painel tira-fôlego de 1.150 figuras, cuja coloração predominante é um vermelho ferrugem, que é o pigmento do óxido de ferro misturado à água. Mas há também figuras pintadas com branco e, surpreendentes, algumas traçadas com um cinza prateado. Ao contrário de outros conjuntos de pinturas rupestres, que são pintadas com pigmentos feitos de gordura animal, aqui eles são, até onde se sabe, pigmentos minerais. O painel é de uma riqueza ímpar.

O que caracteriza as pinturas da Pedra Furada – nome pelo qual metonimicamente, o conjunto todo de sítios piauienses vem sendo referido em plano internacional – é o movimento. Há muita ação sempre: são cenas de caça, sexo, cerimônias, animais e humanos correndo, saltando ou dançando. O desenho, grosso modo, é tosco, infantil, econômico – mas, por isso mesmo, lúdico, direto e muitas vezes bonito. A especialista em arte rupestre Anne-Marie Péssis, pesquisadora francesa que escreve um livro sobre a pintura encontrada aqui, compara o painel a um "cineminha". A quantidade grande e o tamanho pequeno das figuras confirmam a noção. Homúnculos se sucedem, muitos com braços erguidos, outros com adereços na cabeça semelhantes a cocares, outros que parecem estar pulando ou fugindo de um animal. As maiores figuras são sempre de animais. Predominam cerovídeos (inclusive, ao que parece, lhamas), emas, tatus, lagartos e algumas que se assemelham a capivaras.

Algum acontecimentos também são mais ou menos identificáveis. Casais fazendo sexo, em posições variadas, às vezes observados por um terceiro, são comuns. Uma belíssima imagem no Boqueirão da Pedra Furada mostra um beijo. No Baixão das Vticas vê-se o que pode ser *um parto. Na Toca do Chico Coelho, em outro ponto do parque, há até uma cena de suposta bacanal com cinco participantes. Em todas as cenas sexuais uma figura se repete: três traços saindo de um vértice comum. Poderia ser um símbolo de fertilidade. Duas outras cenas são recorrentes no sítio e se tornam ainda mais curiosas quando sabemos que podem representar cerimônias praticadas ainda hoje por índios da região, os índios do grupo Gê: homens dançam ao redor de uma árvore, às vezes tocando-a; crianças são obrigadas a colocar a mão dentro de uma colmeia, para provar valentia. Um rito de celebração e um de iniciação? Talvez. Aqui os especialistas reconhecem estar no campo da especulação.*

Especulação, claro, não tem limites. Uma das teses mais fortes a respeito de arte rupestre, hoje, a associa a rituais religiosos, xamânicos. No Parque Nacional da Serra da Capivara, por exemplo, uma árvore comum é a jurema, cuja folha produz um chá alucinógeno conhecido na região. Teriam essas pinturas, ou parte delas, sido feitas em estado de alucinação? Especula-se. Seriam os índios do grupo Gê descendentes diretos do homem americano que ocupou esta região? Especula-se. Como teria surgido o homem americano, se a tese mais aceita até agora, conhecida como Teoria de Clóvis, supunha que ele teria vindo da Ásia pelo norte da América há no máximo 12 mil anos? Especula-se.

Há muitas outras perguntas. Por exemplo: o que seriam algumas cenas e figuras de difícil interpretação? Em umas, inquietantes, os homens parecem fazer uma escada e uma pirâmide humanas. Mas seriam isso mesmo? Ou a imagem é visualizada de cima, logo eles estariam fazendo aquilo no chão? Os pés de um não parecem se apoiar nos ombros do outro, mas nas mãos; tampouco, porém, esse tipo de imprecisão – num registro estilístico de fidelidade apenas parcial ao real – pode ser entendido como significado de outra coisa. Nem mesmo alguns animais são confiavelmente definíveis. Trata-se de cervos, lhamas ou veados? Emas, siriemas ou outras aves? E há cenas de homens – sempre reconhecíveis pelo órgão genital – de mãos dadas, mas podem ser pais e filhos. E o que alguns carregam nas mãos? Armas, objetos cerimoniais, alimentos? Certezas na arqueologia parecem tão evasivas como as quanta para a física.

Mas uma aproximação interpretativa é possível Niéde e Anne-Marie classificaram, a partir das datações, três "tradições" pictóricas. A primeira, cronologicamente, foi chamada de "tradição nordeste". A maioria de suas pinturas datariam de oito mil a 12 mil anos, podendo chegar a 18 mil. De foto, dois traços paralelos obtiveram por carbono-14 uma datação de 18 mil anos, e houve mesmo uma mancha –feita com o mesmo pigmento ferroso – que chegou a datar 23 mil! Mas as duas imagem sofrem o malefício da dúvida: não podem ser consideradas como pinturas feitas por humanos. A tradição "nordeste" se caracteriza por figuras em movimento, como as descritas. O desenho é mais livre, espontâneo, e nos anos finais chega a um refinamento representativo notável. Já na tradição "agreste", com datas entre dez mil e seis mil anos, há uma menor capacidade de cópia do real traços mais grosseiros e uso de uma só cor, o vermelho. Por fim, na tradição "geométrica", com datas de cinco mil a seis mil anos, a abstração é ainda maior, há sequenciamento de figuras, as formas são reduzidas a poucos traços retos.

Toda essa classificação também levanta a poeira da especulação. Costumamos pensar que a arte evoluiu de uma estilização tosca e simbólica para uma representação mais fiel da realidade. Aqui temos, cronologicamente, uma passagem de uma sofisticação gráfica maior para uma menor. A rigor, esse esquema de raciocínio dedutivo não tem muito valor para a arqueologia. Pois há mais estranhamentos. Na Toca das Europas III, por exemplo, há um grupo de figuras da tradição "nordeste" final que surpreende: há quatro planos na imagem, ou seja, estamos diante de uma noção de perspectiva. E como explicar que as imagem de sexo coletivo sejam posteriores às de sexo a dois? Também não confere com nossa ideia de uma civilização cada vez mais repressiva.

Mas vamos voltar da especulação à escavação. Não que as polêmicas vão se encerrar. No Sítio do Meio, bonito por seu arenito mais claro e poroso, foram encontrados pedaços de cerâmica, uma pedra lascada, restos de fogueiras e, pasme, uma pedra polida. Trata-se de um machado e sua datação é 9.200 anos. Os especialistas duvidam. Não haveria pedra polida em tal idade. Outros artefatos escavados também estão sob suspeita, mesmo uma pedra com sete lascas regulares, que algum já sugeriram que teriam sido feitas por um macaco ou produzidas pela queda do seixo até o abrigo. Mas, diz Niéde, a pedra foi encontrada próxima ao paredão, para dentro da linha de chuva, e então só poderia ter sido carregada para lá; além disso, não existem seixos daquele tamanho no topo da toca. Todas as controvérsias estão enfeixadas no primeiro número da revista Fundamentos, *lançado em 1996, que reproduz colóquio realizado em 1993 com especialistas de diversos países debatendo as descobertas da Pedra Furada.*

A leitura mostra: não há consenso. No entanto, algumas provas se tornam cada vez mais sugestivas, ainda que não cabais. No Boqueirão da Pedra Furada foram encontrados restos de uma fogueira que o carbono-14 apontou como envelhecidos de mais de quarenta mil anos e que agora um equipamento mais preciso, um acelerador de massas na França, datou em 48 mil anos. Mais uma vez hipóteses alternativas foram lançadas no ar. A fogueira teria sido produzida por causas naturais. Niéde replica que não se encontraram vestígios de fogo do lado de fora do abrigo e que um exame de termoluminescência indicou que o calor dos restos em questão é superior ao que um incêndio natural legaria. Mesmo assim, diz ela, há muito que estudar, confrontar e definir – e mesmo especular – até que possamos afirmar que o homem americano é tão mais antigo do que se imaginava. A questão maior, porém, é não deixar a teoria obstruir a pesquisa e suas possíveis conclusões.

A luta

Essa é a luta de Niéde apenas em resumo. É preciso vir aqui para entender tanto o fascínio como o desafio que esses sítios oferecem, estando onde estão, na forma como estão. Imagine o que é administrar um parque nacional com tais riquezas arqueológicas, ponto. Agora tente imaginar como é administrá-lo no Brasil e, pior, no Piauí. É um exercício de especulação digno de Clóvis.

Comecemos pelo dinheiro. O Ibama, ligado ao Ministério do Meio Ambiente, é sabidamente desprovido de recursos. Que não tem capacidade para cuidar de um parque de 130 mil hectares, a presença de apenas 14 guardas para vigiá-lo prova. São quase dez mil hectares para cada guarda! O grave é que a caça campeia na região e está eliminando tatus e tamanduás, que se alimentam de cupins; logo, estes se multiplicam e estão ameaçando os sítios. Também as instituições que financiam a pesquisa no local, o CNPq e a Finep, são conhecidamente pobres. Niéde diz que, para realizar a pesquisa em toda a área em tempo e condições decentes, comparáveis à de outros complexos arqueológicos do mundo, seriam necessárias 250 pessoas. A Fumdham dispõe de cinquenta.

Há algumas ajudas estrangeiras, como a do BID, que financia o monitoramento da fauna no parque. Mas, resumindo em números, o parque — para ser vigiado, conservado, pesquisado e visitado pelo grande público — precisaria de um orçamento anual de cerca de US$ 3 milhões. Possui um de US$ 1,2 milhão. Em condições ideais, seria sobretudo um centro de pesquisas, envolvente e amplo, para diversos tipos de pesquisadores, vindos do mundo todo (franceses, ingleses, japoneses, americanos e australianos já passaram ou estão por aqui). Mas seria também um complexo turístico, naturalmente sem luxos, que ajudaria a financiar a própria pesquisa. Desde 1991, quando a Unesco tombou o parque, instituições internacionais têm colaborado, e a tendência é melhorar. Um museu com os achados da região — como duas urnas funerárias encontradas no Morro do Garrincho, fronteiriço ao parque — já está com o prédio pronto. Dois hotéis vão se juntar ao Hotel da Serra Capivara, onde ficamos, um lugar limpo, com boa comida e que possivelmente seria classificado pela Quatro Rodas *como duas-estrelas. Um aeroporto próximo a São Raimundo está sendo construído.*

Não se subestimem as dificuldades, porém. Vemos Niéde lidando, entre as grandes hipóteses arqueoantropológicas, com o serviço mal prestado pela população local, com pesquisadores que não querem viver naquela região erma e escaldante, com atrasos de CNPq e Ibama, com o preconceito de instituições americanas que recusam projetos de pesquisa (afinal, que história é essa de o homem americano ter surgido na América do Sul?), com dificuldades técnicas e tecnológicas como ter um rádio eficiente para a área.

É óbvio que, aceitem-se ou não interpretações que estejam sendo feitas do que foi descoberto aqui, essa estrutura precária é nociva. E vale lembrar que a cada ano a arqueologia vê caírem tabus — o berço africano da humanidade e a antiguidade do homem australiano estão entre os recentes — e teorias no mundo todo. Por que não aqui, por que não o homem americano? Pergunta-se."

(Daniel Piza, "A origem das Américas", in Gazeta Mercantil, 7/3/1997.)

O PRAZER DO TEXTO

Um sinal de que a luta do caderno *Fim de Semana* não foi em vão é a quantidade de pessoas que até hoje se lembram de seus bons tempos. Outro, a influência que exerceu sobre novas gerações de jornalistas e articulistas, além de profissionais da própria grande imprensa.

Mas quais as características que o faziam especial? Eis as minhas cinco hipóteses, baseadas nas decisões tomadas durante sua formação e no tipo de repercussão que recebeu entre os leitores:

1. A periodicidade semanal. O fato de o caderno ser semanal (circulava às sextas-feiras, com data da sexta, do sábado e do domingo) nos obrigava a ser seletivos. Não tínhamos de "dar tudo", como os segundos cadernos dos grandes jornais. E nosso filtro conquistou a credibilidade do leitor. Ao mesmo tempo, informávamos – com as seções Estante, Fonoteca e o Roteiro cultural, além das próprias matérias – o que havia de melhor ou mais importante para ele optar. Raramente sentimos falta de anunciar algum produto ou evento citado em outros jornais. Também nos sentíamos livres até para fazer matérias sem "gancho", sem um acontecimento ou data que as justificasse, apenas a relevância de trazer aquele tema à tona. O ponto focal do suplemento era ser "de leitura", era convidar o leitor a investir tempo na leitura atenta e recompensadora de suas matérias, às vezes mais longas que uma página. Acreditamos no prazer do texto e fomos reconhecidos por isso.

2. O público qualificado. Como o público da *Gazeta* em geral tinha grau universitário (25% tinha pós-graduação também), domínio do inglês e hábito de viajar, não havia motivo para nos policiar em relação a notícias sobre eventos no exterior (também constantes do roteiro, além da coluna Nova York, de Sonia Nolasco) e temas ditos "sofisticados" (assim como os históricos).

No entanto, jamais se assumia o tom erudito, pedante, esnobe: todas as coisas culturais de qualidade interessavam, não importa a que universo pertencessem, e o tratamento dado a elas é que tinha de ser coerente, pela clareza de conceitos e fraseados. Além disso, como a *Gazeta* talvez seja o único jornal diário realmente "nacional" (com 50% da circulação em seu estado, São Paulo, e 50% nos outros), podia-se falar de eventos em qualquer parte, como festivais e feiras, muitos dos quais menosprezados pelas grandes publicações. O caderno queria transmitir o grande prazer de ter uma vida cultural ativa: pressupunha um leitor urbano, moderno, cosmopolita, com lugar na sensibilidade para um romance de Philip Roth ou um jogo de futebol, um debate sobre globalização ou um disco de Dorival Caymmi.

3. A combinação de gêneros e temas. O caderno procurava dar na mesma edição, e alternar em suas capas, as modalidades de texto jornalístico: perfis, reportagens noticiosas, entrevistas, resenhas, efemérides, reportagens interpretativas. Havia também a preocupação de não negligenciar nenhum dos assuntos do espectro do caderno (livros, exposições, música, cinema, TV; dança, arquitetura & urbanismo, ciência, gastronomia, design, esportes, comportamento, mercado e política cultural) e, de vez em quando, entrar firme em algum tema político-econômico do momento; além disso, certa atenção aos interesses mais específicos do leitor da *Gazeta* (como livros de negócios, conjunturas econômicas de determinado setor cultural, questões de patrocínio etc.) era mantida. A tônica do suplemento, claro, era cultural, com ligeira ênfase para livros, e o leitor estava ciente disso o tempo todo.

4. A equipe. Em qualquer atividade social, o trabalho em equipe só faz ganhar quando se tem variedade de pomos de vista, de idades, de origens, uma vez que a premissa seja o mérito ou potencial de cada sujeito. A equipe do *Fim de Semana*, ora

deliberadamente ora não, misturava. gerações (de José Onofre e Sonia Nolasco, na faixa dos cinquenta anos, até Flavia Fontes e Alessandra Simões, recém-formadas), origens (havia mineiro, baiano, gaúcho, carioca etc.) e, mais importante, modos ou escolas de pensamento (do francófilo Marcelo Rezende ao americanófilo Onofre, dos "repórteres-historiadores" Gonçalo Júnior e Giron aos mais "moderninhos", como Orlando Margarido etc.). Havia naturalmente choques de vaidade e sobreposição de interesses, mas a mentalidade de que o caderno valia o "engajamento" era hegemônica. E havia, inegavelmente, disparidade na qualidade dos textos. Isto se combatia com uma edição criteriosa (mexia-se, sim, no texto de todos, sem deixar de avisá-los das mudanças mais fundamentais e de cobrá-los por erros ou trechos confusos) que, no entanto, respeitava as características próprias de estilo.

5. A "carta branca". O último item desta lista, mas o mais importante. A direção do jornal, depois de algumas diretrizes nos meses iniciais (e de alguns atritos que ajudaram a delimitar territórios), se limitava a apontar uma ou outra edição que achava menos feliz, mas esse tipo de observação aconteceu em raras ocasiões. As páginas eram vistas antes de o caderno ser rodado, mas, de novo, raramente se pedia alguma alteração. E o principal: não havia restrição prévia sobre assunto ou abordagem, e todas as decisões sobre qual seria a capa, a pauta e a paginação interna eram dos editores. Especialmente no período 1998-1999 havia apoio para as viagens dos repórteres, o que é muito indicado na prática do jornalismo cultural. Contratações também sempre foram ratificadas, e sugestões que vinham "de cima" eram mesmo sugestões, que cabia ao caderno aceitar ou não. Havia consciência de que aquele era um trabalho criativo, que funciona melhor quando não é cerceado, e, pelo menos até certa altura, de que era um caderno querido pelos leitores e, logo, "em time que está ganhando não se mexe".

OUTRAS ESPERANÇAS

Os temores que senti principalmente nos primeiros cinco anos de carreira eram de que o jornalismo cultural fosse caminhar para um plano ainda menor. O cerceamento da opinião crítica, a redução do espaço (seja do número de páginas do caderno, seja do tamanho de cada matéria), as pressões para o predomínio dos assuntos de grande audiência, regras de equivalência com as outras seções (como o uso obrigatório de títulos com verbo), o fim ou a transformação de muitos suplementos de livros – tudo isso me angustiava pelo simples fato de que eu percebia que um considerável número de leitores não era atendido, além da simples verificação de que os cadernos culturais diários sempre tiveram enorme poder de cativar o leitorado.

Fazer o *Fim de Semana*, a partir de dezembro de 1995, foi o melhor antídoto contra essa angústia. Embora o caderno fosse num jornal segmentado (especializado em economia, com 120 mil exemplares), logo extrapolou essas fronteiras e, apesar das limitações operacionais, serviu como prova de que é possível fazer bom jornalismo cultural – inteligente sem ser chato, agradável sem ser frívolo, provocante sem ser antipático – e chegar até o leitor tratando-o com respeito, não bajulando ou tentando chocá-lo. Desmontou a tese daqueles que diziam que os executivos brasileiros não se interessam por artes, livros e debates e, acredito, deixou uma marquinha na história. (Pelo menos três outros livros, além do meu *Questão de gosto*, nasceram do *Fim de Semana: Pais da TV;* de Gonçalo Jr., *Homens de ciência*, de Alessandro Greco, ambos da editora Conrad, e *Designer não é personal trainer*, de Adélia Borges, editado pela Rosari. Muitas editoras vieram até mim oferecer a ideia de publicar em um volume as melhores matérias do caderno.)

A partir do segundo semestre de 1997 convivi com outra derrubada de tabu. A Editora D'Ávila, de Luiz Felipe D'Ávila, sob direção de Wagner Carelli, lançou a revista mensal de cultura *Bravo!*. Convidado a ir para lá, ouvi de colegas que "revista de cultura não dá certo no Brasil". Não por esse motivo, optei por continuar na aventura do *Fim de Semana*, mas logo me tornei editor-contribuinte da revista e, desde então, salvo dois ou três números, participei dela sempre com pelo menos um texto. Foi uma maneira de prosseguir meu trabalho como crítico de arte, já que no *Fim de Semana* eu estava mais preocupado em coordenar a edição e produzir as resenhas e ensaios que comporiam *Questão de gosto*, e de contribuir com um projeto muito corajoso e caprichado, que, apesar das dificuldades, se mantém vivo até hoje, com tiragem de vinte mil exemplares, para espanto dos agourentos.

A *Bravo!* também é uma publicação que quer comunicar o prazer da cultura, não só, em seu caso, pela qualidade dos textos (de autores como Sergio Augusto, Hugo Estenssoro, Sergio Augusto de Andrade, Michel Laub, Almir de Freitas e José Onofre), mas também pela produção visual. Demorou algum tempo até se abrir para áreas como televisão (especialmente forte na cultura brasileira), continua não resenhando livros de não ficção (ignorou, por exemplo, os de Elio Gaspari sobre o regime militar) e ainda exagera no excesso de aplausos (há raras críticas negativas na revista), mas é sem dúvida, no momento, a publicação mais bem feita sobre cultura no Brasil.

É importante dizer também que, apesar dos problemas enfrentados, as seções culturais dos jornais diários e revistas semanais do país continuam mantendo um patamar mínimo de qualidade, com alguns profissionais que não se entregam ao superficialismo dos tempos. Em São Paulo, por exemplo, o *Caderno 2* do *Estado* continua a ser o mais generoso em termos de páginas, e o *Mais!* da *Folha* era um suplemento que às vezes até exagerava no intelectualismo. Num país que tem tão poucas revistas e tabloides culturais sofisticados, esses cadernos são uma resistência. Também confio em minha própria experiência, na qual a recepção inteligente (positiva ou negativa) de um número considerável de leitores se repete toda semana.

Mas quero reforçar a necessidade de que o jornalismo cultural brasileiro avance, reconquiste uma qualidade perdida, uma importância mais decisiva na formação das pessoas. Mesmo antes de me decidir pelo jornalismo, gente como Bernard Shaw, H. L. Mencken, Edmund Wilson, Paulo Francis, Ivan Lessa, Millôr Fernandes e Robert Hughes fez minha cabeça. Eles me cativaram pela abrangência de seu jornalismo cultural, pela personalidade que investiram em cada frase, por escreverem sobre livros, exposições, política, comportamento etc. sempre com um olhar muito próprio, um estilo quente e direto, rico em "insights", que mexeu com minha visão de mundo tanto quanto a leitura de Shakespeare ou Darwin. Para eles, a vida cultural é orgânica, gerando uma disciplina de dentro para fora; não há temas ou autores sagrados; leitura e vivência devem se alimentar e se contestar mutuamente, sem verdade final; há um senso de aventura no conhecimento, que jamais é compartimentado e empolado, que só existe como abertura ao mundo. Justamente por serem fortes as suas posições, levam o leitor a reagir.

Sempre haverá espaço para autores assim, que não se pautam pelo conformismo travestido de modéstia, pela bitola travestida de hiperespecialização, ainda que dominem muito bem pelo menos duas áreas em particular e sua premissa seja sempre a de que há muito ainda a saber e descobrir. Mesmo em tempos de demagogia com o leitor, a imprensa não vive sem autores que sejam capazes de informar e interpretar, isto é, de formar as pessoas de modo que elas sejam desafiadas a ter opinião própria, a ter uma curiosidade consequente, a dar valor às armas do espírito. O cidadão atual é cada vez mais pressionado a fazer opções, a dizer o que pensa sobre os mais diversos tipos de assunto – dos transgênicos ao Oriente Médio, das estreias de cinema às desmedidas da política – e assim exercer sua cidadania. O jornalismo cultural tem esse papel simultâneo de orientar e incomodar, de trazer novos ângulos para a mentalidade do leitor-cidadão.

E, apesar das pressões de espaço e escala, esse olhar cultural tem, sim, ganhado terreno. Especialmente depois da queda do muro de Berlim em 1989, o enfraquecimento da velha dicotomia ideológica abriu caminho para seu ressurgimento. As questões de mentalidade voltaram a ter peso na historiografia, a moda das biografias se intensificou, autores como Hughes se voltaram para os documentários e os livros, a Internet se viu tomada por sites de artigos e fóruns. Tudo isso, claro, foi também impulsionado pelas novas tecnologias, como CDs e DVDs, que repuseram clássicos em circulação, além da Internet, que aos poucos vai montando um banco de dados virtual que, se não dispensa o suporte, facilita sensivelmente o acesso. Quando comecei minha formação cultural, na primeira metade dos anos 80, o leitor mais jovem não pode imaginar o quanto me angustiava por não poder fazer coisas que hoje, mediante alguns cliques na Web, fazemos habitualmente.

O que acho que falta no Brasil é uma presença mais intensa, mais densa, desse olhar cultural. O jornalismo dos segundos cadernos sofreu empobrecimento intelectual e técnico, e alguns já nitidamente se entregaram ao comodismo de assuntos como os famosos e o comportamento da moda. Os intelectuais universitários, que com raras exceções desprezam o jornalismo, perderam a capacidade de escrever para um público mais amplo, como faziam Sergio Buarque de Holanda e Otto Maria Carpeaux. Os livros sobre história e artes começaram a reaparecer, mas ainda existe muito atraso para tirar. Há uma carência de revistas e tabloides dedicados a livros e ensaios, pagando razoavelmente bem ao colaborador, como ainda é usual mesmo numa semifalida Argentina. E não se tem notícia de uma revista cultural semanal, que mescle reportagens, perfis, críticas, colunas e serviços, à maneira de uma *New Yorker* ou *Spectator* com alguns graus a menos de sofisticação.

Um passo importante para tudo isso é perceber que esse olhar cultural não é exclusivo dos segundos cadernos e suplementos literários. Para continuar no Brasil, o que fez, por exemplo, a crônica esportiva de Nelson Rodrigues ser tão importante e duradoura? Ainda que às vezes exagerasse no ufanismo e não enxergasse muito bem as questões táticas do futebol, ele falava de uma partida como um embate psicológico, dramático, em que valores como autoconfiança e lealdade estavam em campo. Como dramaturgo, que veio da reportagem policial e da crítica literária, Nelson – como seu irmão Mario Filho, que ainda tinha a vantagem de conhecer profundamente a história e a técnica do futebol – rompeu com o registro burocrático da partida e captou, no auge da seleção brasileira (1958-1970), o valor de projeção cultural que o esporte adquirira na sociedade.

Também por isso, os livros como extensões do trabalho do jornalismo cultural é uma tendência crescente e bem-vinda. Que jornalistas como Fernando Morais e Ruy Castro possam trabalhar em casa, vivendo de seus livros e continuando a colaborar com a grande imprensa, é bom tanto para o jornalismo quanto para a cultura. As biografias escritas por Fernando Morais de uma revolucionária, Olga Prestes, e de um magnata da mídia, Assis Chateaubriand, estão entre os maiores best-sellers da história editorial brasileira, assim como os livros de Ruy Castro sobre a Bossa-Nova, Nelson Rodrigues e Garrincha. Muitos outros seguiram esse caminho, como Jorge Caldeira, Sergio Cabral e João Máximo.

E faz bem que o jornalismo cultural se abra para outros assuntos, como os esportivos, os político-econômicos, os comportamentais, Afinal, onde costuma sair, digamos, a resenha de um livro como *Estação Carandiru*, de Dráuzio Varella? Não é no caderno de *Cidades*, onde as matérias policiais são publicadas. Mas nos segundos cadernos. Logo, o jornalismo cultural tem de estar bem informado sobre os mais diversos assuntos. E, por isso mesmo, abrir-se para outros assuntos não significa abandonar sua razão de ser, que é a avaliação dos produtos e eventos culturais, de suas personalidades e tendências, nas formas da crítica, da entrevista, da reportagem e da coluna, em suas mais diversas camadas de tratamento, em seus mais diversos suportes (jornal, revista, Internet, rádio, TV, livro).

Quando começar a olhar para si mesmo com maior complexidade – com maior grandeza –, o jornalismo cultural brasileiro vai dar um salto.

Gazeta Mercantil, 14/04/00

A mistura bem dosada de temas...

...fez o sucesso do caderno *Fim de Semana*

Folha de S. Paulo, 02/02/91

O jornalista cultural deve estar atento a "ganchos"...

Gazeta Mercantil, 07/08/98

Fim de Semana

Fernando Pessoas

Edições firmam interesse no maior poeta moderno da língua portuguesa

Inéditos de um baú infinito e caótico

Livro infantil, textos sobre maçonaria e versão completa do "Livro do Desassossego" estão previstos

...que propiciem releituras de temas conhecidos

O Estado de S. Paulo, 04/03/90

A programação gráfica é um componente...

Folha de S. Paulo, 26/05/03

...de diferenciação dos cadernos de cultura

O Estado de S. Paulo, 27/05/03

Jornalismo cultural é também prestação de serviço

Bravo!, maio/2003

Bravo!: Espaço nobre para o prazer da cultura

Gazeta Mercantil, 07/03/97

Tirar os pés da redação faz bem ao jornalismo cultural

Gazeta Mercantil, 07/05/99

Fim de Semana

SR.

Ivan Lessa e Millôr Fernandes, respectivamente redator e colaborador, relembram a revista cultural que marcou época entre 1959 e 1964 pelo pioneirismo editorial e gráfico e pela revelação de grandes escritores e jornalistas

Memórias da redação   Um clube de elite

E por que não transformá-lo em pauta?

BIBLIOGRAFIA COMENTADA

O jornalista cultural tem um dever nº 1 consigo próprio: não ter preguiça de ler. Deve ler, claro, os principais livros, de Cervantes a Philip Roth, com atenção especial aos do idioma, de Gregório de Mattos a Carlos Heitor Cony. Não se escreve muito bem sem ter lido bastante. Quem pretende dominar a língua portuguesa precisa se dedicar ao prazer de ler os grandes prosadores, como Machado de Assis, Lima Barreto, Graciliano Ramos, Rubem Braga, Nelson Rodrigues, Otto Lara Resende. Deve conhecer os livros fundamentais de sua cultura, como *Raízes do Brasil*, de Sergio Buarque de Holanda; *Casa-grande & senzala*, de Gilberto Freyre; *Os sertões*, de Euclides da Cunha; *Macunaíma*, de Mário de Andrade; *Grande sertão: veredas*, de Guimarães Rosa; a poesia de Augusto dos Anjos, Carlos Drummond de Andrade e João Cabral de Melo Neto. Deve estar atualizado com os melhores autores contemporâneos, como Raduan Nassar, Milton Hatoum, Rubem Fonseca, Dalton Trevisan. E deve ler bons livros sobre história, ciência, economia e possuir bons livros de referência (enciclopédias, dicionários, compêndios). Deve, em suma, ter uma boa biblioteca, mesmo que escreva sobre cinema, música ou artes visuais.

Além disso, obviamente, todo jornalista cultural tem de conhecer bem a história e ter noções da técnica de cada arte. Não é preciso ser um grande artista para ser um grande crítico, mas é importante que se tenha pelo menos ensaiado praticar aquela arte de alguma forma. Indispensável mesmo é ter visto os melhores filmes, lido os melhores livros, escutado os melhores discos. E nada de monotonia: o crítico de cinema é ainda melhor quando conhece bastante a literatura e a pintura, e assim por diante. Como se nota, jornalista cultural precisa ser um estudioso, um autodidata.

Outro requisito, muito menos cumprido pelos jornalistas culturais do que se imagina, é ler a imprensa nacional e estrangeira. Ler pelo menos dois dos maiores jornais do país, uma das revistas noticiosas semanais e as publicações especializadas de sua(s) área(s). Ler algum dos grandes jornais mundiais, como *The New York Times*, *El País*, *La Reppublica* ou *Le Monde*, dependendo da língua que se domina (se bem que dominar o inglês é fundamental), e ler algumas das principais revistas, como *The Economist* e *The New Yorker*, nas quais se pratica jornalismo do mais alto nível. E as especializadas, como as que se seguem:

Gerais – The New Yorker (www.newyorker.com), The Spectator (www.spectator.co.uk), Esquire (www.esquire.com)

Literatura – New York Review of Books (www.nyrb.com), Times Literary Supplement (www.tls.co.uk), Magazine Littéraire (www.magazine-litteraire.com), Lire (www.lire.fr)

Cinema – Cahiers du Cinéma (www.cahiers.fr), Premiere (www.premiere.com)

Artes visuais – ArtForum (www.artforum.com), Art in America (www.artinamerica.com), Connaissance des Arts (www.connaissancedesarts.fr)

Arquitetura e design – Architectural Digest (www.archdigest.com), Wallpaper (www.wallpaper.com)

Teatro e dança – Backstage (www.backstage.com), Dance Magazine (www.dancemagazine.com)

Música pop e jazz – Rolling Stone (www.rollingstone.co.uk), Downbeat (www.downbeat.com), New Musical Express (www.nme.com)

Música erudita – Le Monde de la Musique (www.lemondedelamusique.fr), BBC Magazine (www.bbcmagazine.co.uk)
Moda – Vanity Fair (www.vanityfair.com), Elle (www.elle.fr), Vogue (www.vogue.fr)
Gastronomia – Wine Spectator (www.winespectator.com), Gourmet (www.gourmet.com), Gula (www.gula.com.br)

Além de uma boa biblioteca e do acompanhamento da imprensa, principalmente das seções específicas, o jornalista cultural tem de conhecer os melhores críticos e repórteres do métier. Veja agora as sugestões de leitura (quando existe o livro disponível em português, é este que se indica):

CRÍTICA CULTURAL MODERNA

O teatro das ideias de Bernard Shaw (Companhia das Letras, org. Daniel Piza, trad. José Viegas Filho) – Shaw liquidou a crítica beletrista, bom-mocista, que predominava nos jornais do século passado. Como crítico de literatura, teatro e música, aplicou em seus ensaios, resenhas e colunas um conjunto de critérios modernos de avaliação – separando arte e moral, combinando a confissão pessoal com a argumentação objetiva – e um texto mordaz e entusiasmado que hoje, mais de cem anos depois, continua vivo. Para quem quiser ir além, há uma edição de Shaw na famosa coleção *Portable* da Penguin, onde se leem também suas peças.

O livro dos insultos de H. L. Mencken (Companhia das Letras, org. e trad. Ruy Castro) - Mencken foi uma espécie de Shaw americano, mas sem o idealismo socialista de Shaw. Começou como crítico literário e musical, mas foram seus comentários esnobes sobre a mentalidade e a política de seu país que lhe valeram o título de "cidadão mais poderoso da América" nos anos 20. No entanto, abriu caminho para a literatura americana moderna e deixou um estilo cuja limpidez e energia marcariam sua geração e as seguintes. Para quem quiser ir além, uma das melhores coletâneas de Mencken é *The impossible H.L. Mencken* (Anchor Books, com prefácio de Gore Vidal).

The selected essays of George Orwell (Penguin) – George Orwell também escreveu com competência sobre os mais diversos assuntos. Era melhor ensaísta do que crítico, mas seus textos sobre as relações entre literatura e política, suas memórias de outros países e seus longos artigos em defesa de uma esquerda democrática fizeram história. Além disso, como jornalista literário, publicou livros como *Down and out in London and Paris*, sobre os mendigos europeus; e *Homage to Catalonia*, sobre a guerra civil espanhola, antes de se tornar famoso com os romances *Animal farm* e *1984*. Seu estilo é fluente e opinativo, e também deixa uma marca em quem o lê.

Onze ensaios de Edmund Wilson (Companhia das Letras, org. Paulo Francis, trad. José Paulo Paes) – Wilson foi um homem de letras completo: escreveu contos, romances, peças, ensaios, resenhas, memórias, livros de viagem, história e jornalismo. Em *Onze ensaios* escreve como poucos sobre Dickens, Turgueniev, política ou filosofia. Deixou também *Rumo à Estação Finlândia*, sobre pensadores socialistas; *O castelo de Axel*, sobre a literatura moderna; *Os manuscritos do Mar Morto*, sobre as controversas origens do cristianismo, seus diários dos anos 20 e coletâneas de resenhas como *Classics & Comercials* (Vintage Books), feitas para a *New Yorker*.

Waaal – O dicionário da corte de Paulo Francis (Companhia das Letras, org. Daniel Piza) – A coluna Diário da Corte, duas vezes por semana, primeiro na *Folha de S.Paulo* (1977-1990) e depois no *Estado de S.Paulo* (1990-1996), fez de Paulo Francis o mais lido e discutido jornalista brasileiro de todos os tempos. Iniciou como crítico de teatro e ensaísta, como se vê nos livros *Certezas da dúvida* e *Opinião pessoal*, e depois se voltou para a política com a mesma verve feroz. Mas os comentários que fazia sobre livros e filmes exibiam o que tinha de melhor: a capacidade de contagiar o leitor.

Crítica de literatura

Samuel Johnson – The Oxford Authors – Este volume da Oxford contém, além de sua novela *Rasselas*, de suas cartas e poesias, o melhor que o "Dr. Johnson" escreveu sobre literatura (Shakespeare e todos os poetas de sua época como Dryden e Pape) e seus ensaios, que tratam de casamento, educação e política, entre muitos outros temas.

Pour la critique, de Sainte-Beuve (Folio) – Numa época em que o romance francês tinha Balzac, Stendhal e Flaubert, Sainte-Beuve foi o maior dos críticos literários. Mesmo "errando" sobre a maioria desses autores, iluminava as questões literárias e influenciou muitos deles a tratar da realidade histórica com maior ambição. Proust, da geração seguinte, o atacaria em *Contre Sainte-Beuve*, mas isto também dá ideia da força adquirida pelo crítico.

Ensaios de T.S. Eliot (Art Editora) – Dois dos maiores poetas modernos americanos, ambos radicados na Europa nos anos 20, foram também dois dos maiores críticos modernos americanos, T.S. Eliot e Ezra Pound. Se Pound, em *ABC da literatura* (Cultrix), releu toda a história do verso de língua inglesa, Eliot em seus ensaios e resenhas resgatou de forma mais consistente autores como John Donne e levantou questões fundamentais para a cultura moderna ao demonstrar o papel da tradição em cada talento individual.

O cânone ocidental, de Harold Bloom (Objetiva) – Bloom é o mais conhecido crítico literário vivo, famoso por defender a tradição ocidental e criticar as reduções da literatura a questões de classe, gênero e raça. Também é autor de *Shakespeare – A invenção do humano*, *Como e por que ler* e *Genius*, uma lista de cem mentes criativas na qual incluiu Machado de Assis.

Ensaios reunidos, de Otto Maria Carpeaux. (UniverCidade Editora, org. Olavo de Carvalho) – Carpeaux foi o maior crítico literário atuante no Brasil. Austríaco de nascimento, Karpfen, viu em Graciliano, Drummond e Machado os maiores nomes da literatura nacional. Também deixou livros de formação cultural como a *História da música ocidental*.

Crítica de arte

Selected writings, de John Ruskin (Penguin Classics) – Ruskin não foi apenas um crítico de arte e arquitetura importante, que escreveu sobre a pintura de Turner e as Pedras de Veneza, mas também um esteta e estilista que ditou um comportamento intelectual e existencial no século XIX. Um de seus seguidores e tradutores foi Proust, o romancista e crítico francês, que sofreu influência de seu fraseado longo e examinador.

A Roger Fry reader, org. Christopher Reed (Chicago) – Fry foi o primeiro crítico a entender o que Cézanne e Van Gogh, cada um a seu estilo, estavam fazendo pela arte moderna. Ambos criaram nova forma de relacionar linha e cor, resolveram o impasse do impressionismo e abriram caminho para Picasso e Matisse. Fry escreve com sentimento e razão sobre essas transformações.

Civilização, de Kenneth Clark (Martins Fontes) – Clark foi outro estilista da crítica de arte e outro defensor da tradição ocidental para o grande público. Este livro é baseado em seu documentário, produzido pela BBC e exibido em vários países, inclusive no Brasil (TV Cultura). Também escreveu livros sobre o nu na arte, Leonardo da Vinci e a arte romântica.

Arte moderna, de Giulio Carla Argan (Companhia das Letras) – O livro mais completo sobre a arte moderna, suas vertentes, suas questões. Argan, também excelente urbanista e crítico de arquitetura (autor de *História da arte como história da cidade*), mistura história, teoria e interpretação sensível, dando exemplos concretos do que a arte moderna produziu.

Nothing if not critical, de Robert Hughes (Harper Collins) – Coletânea dos ensaios e resenhas do maior crítico de arte vivo, também um historiador cultural e polemista de grande talento. Na linha de Clark, fez os documentários-livros *O choque do novo*, sobre a arte moderna, e *Visões da América*, sobre a história dos EUA (ambos exibidos pela TV Cultura). Também contou a história de Barcelona e atacou a pseudovanguarda patrocinada pelo Estado em *A cultura da reclamação*.

Crítica de cinema

Agee on Film, de James Agee (Grosset's Universal Library) – Agee é considerado o maior crítico de cinema americano; mais que Manny Farber, Andrew Sarris ou Dwight Macdonald, fazia o leitor ver os filmes de modo mais rico e crítico. Também repórter e romancista, foi quem primeiro percebeu a grandeza do cinema de John Ford.

Mil e uma noites no cinema, de Pauline Kael (Companhia das Letras, org. Sergio Augusto) – Kael "errou" muitas vezes, provavelmente tomada por sua personalidade excessiva, mas justamente isto é que faz seus textos tão interessantes. Nessas pequenas notas para o roteiro cultural da *New Yorker*, consegue comentar atuações e roteiro, mostrar virtudes e fraquezas do diretor e ainda emitir opiniões genéricas sobre o cinema.

O que é o cinema, de André Bazin (Horizonte) – Bazin era o crítico que mais identificava a revista *Cahiers du Cinéma*; mais que as de Truffaut ou Rohmer, suas críticas tinham um ponto de vista teórico – a "teoria do autor", segundo a qual o cineasta imprime seu estilo no filme como um escritor em seu texto – e argumentavam solidamente a partir desse ponto. Negligenciando os apelos mais diretamente visuais do cinema, Bazin o tratou com uma seriedade antes nunca vista.

O cinema segundo François Truffaut, org. Anne Gillain (Nova Fronteira) – Truffaut partilhava das crenças gerais do *Cahiers du Cinéma*, mas sua maneira de ler os filmes e escrever sobre eles era mais livre e pessoal do que a de Bazin. O título de sua antologia original, *Les films de ma vie*, já deixa claro seu olhar afetuoso, com o qual admira tanto um drama de Bergman quanto uma comédia de Jerry Lewis. Também fez um livro de entrevistas com Alfred Hitchcock, o maior cumprimento já registrado entre dois grandes cineastas.

Um filme é um filme, de José Lino Grünewald (Companhia das Letras, org. Ruy Castro) – Grünewald fez pela crítica de cinema nacional a atualização que o *Cahiers du Cinéma* fazia na França dos anos 60. Poeta, tradutor e jornalista, Grünewald – em relação à crítica mais clássica de Moniz Vianna, Paulo Emilio Salles Gomes ou Rubem Biáfora – ensinou o leitor a olhar para a linguagem concreta dos filmes, valorizando montagem e roteiro.

CRÍTICA DE TEATRO

Curtains, de Kenneth Tynan (Longman) – Tynan foi o crítico do período mais memorável do teatro inglês moderno. Nos anos 50 e 60, quando os shakespereanos Laurence Olivier, John Gielgud (que chamou de "maior ator do mundo da cintura para cima") e Maggie Smith enfrentavam também jovens dramaturgos como John Osborne e Peter Brook, Tynan estava lá, com sua verve sintética. Mais tarde, foi para os EUA e escreveu alguns dos melhores perfis já publicados pela revista *The New Yorker*.

The world of George Jean Nathan, org. Charles Angoff (Knopf) – Nathan foi o parceiro de H.L. Mencken nas revistas *The smart set* e *American mercury*, que modernizaram a cultura americana nas primeiras décadas do século XX. Enquanto Mencken era elitista e argumentativo, Nathan era mundano e personalista (e foi a maior influência sobre a crítica teatral de Paulo Francis). Sem Nathan, dramaturgos hoje clássicos como Tennessee Williams e Eugene O'Neill teriam demorado muito mais a ser reconhecidos.

Hot seat, de Frank Rich (Random House) – Rich foi o mais inteligente e contundente crítico de teatro de um período em que o teatro americano fez das grandes produções da Broadway um enorme chamariz turístico, enquanto nos interstícios do sistema uma nova geração de muito talento – David Mamet, John Guare, David Hare – se estabelecia. De 1980 a 1993, no *New York Times*, fez a crítica de teatro recuperar um pouco de seu poder de influência.

CRÍTICA DE MÚSICA

O estilo clássico, de Charles Rosen (Edusp) – Ninguém escreve sobre música como o pianista e musicólogo Charles Rosen. Muita gente escreveu bem sobre música clássica: Berlioz, Shaw, Debussy,

Ernest Newman, Andrew Porter. Mas ninguém releu sua história como Rosen em livros como *O estilo clássico* (Mozart, Haydn e Beethoven) e *A geração romântica* (Chopin, Lizst, Schumann) e nas resenhas para a *New York Review of Books*, em que também vai à literatura e à pintura.

Collected works – a journal of jazz, de Whitney Balliett (St. Martin's Press) – Toda época de ouro na arte tem seu crítico de ouro. Balliett começou sua carreira como crítico de jazz da *New Yorker* nos anos 50, quando Dizzy Gillespie e Charlie Parker revolucionavam o gênero e cantoras como Billie Holiday e Bessie Smith se apresentavam. Ninguém como ele colocou os "pingos nos is" sobre os grandes nomes do jazz e fez descrições em palavras dignas de seus temas musicais.

Chega de saudade, de Ruy Castro (Companhia das Letras) – Ruy Castro é um dos maiores jornalistas culturais do Brasil e conhece como poucos o melhor da cultura americana, como prova em *Saudades do século XX*. E foi sobre um diálogo musical entre Brasil e EUA, entre samba e jazz, que escreveu suas melhores páginas: *Bossa Nova*. Derrubando tanto os detratores nacionalistas, que não conseguiam ver o movimento na linha histórica da MPB, quanto os exaltadores vanguardistas, que viram no estilo uma ruptura com o passado, Ruy Castro fez um retrato em cores da geração de Tom Jobim e João Gilberto.

Crítica de arquitetura

Arte e técnica, de Lewis Mumford (Edições 70) – Mumford, assim como Giulio Carlo Argan na Itália, transformou a visão tradicional da arquitetura ao relacioná-la com a vida urbana, mantendo, porém, a lúcida distinção entre estética e sociologia. Ao contrário de Argan, o fez do ponto de vista do pedestre culto e cosmopolita (como em sua coluna Skyline para a *New Yorker)* que sabe que a trama urbana não depende apenas da administração pública.

História crítica da arquitetura moderna, de Kenneth Frampton (Martins Fontes) – Uma das interpretações mais lúcidas da arquitetura moderna, seja a dos arranha-céus de Mies van der Rohe, seja a das casas cúbicas da Bauhaus, que dá a devida importância para nomes como Frank Lloyd Wright e Alvar Aalto e mostra as relações entre ideologia e arquitetura. Frampton, é bom avisar, não simpatiza com o trabalho de Oscar Niemeyer.

Saber ver a arquitetura, de Bruno Zevi (Martins Fontes) – Zevi foi o escritor que mais popularizou o tema da arquitetura. Em livros didáticos como este ou em ensaios mais ambiciosos, o escritor italiano ensinou milhares de leitores a ver a arquitetura como um híbrido de arte e design, rompendo com a velha dicotomia entre ornamento e função.

Jornalismo literário

Os exércitos da noite, de Norman Mailer (Record) – O melhor de Mailer é sua capacidade de lidar com fatos reais em tratamento de ficção. Isso nem sempre dá certo quando ele deixa a vaidade falar muito alto, levantando hipóteses um tanto quanto fantasiosas. Mas quando se atém aos fatos, como neste livro sobre os protestos contra a Guerra do Vietnã ou mesmo no relato famoso sobre o pugilista Muhammad Ali, cria uma narrativa jornalística como poucos.

A mulher do próximo, de Gay Talese (Companhia das Letras) – Talese é o mais sensato dos "new journalists", uma geração que pretendeu fundir técnicas de jornalismo e de ficção e não raro fez sofrer as primeiras. Os livros de Talese, como este sobre a "liberação sexual" dos anos 60, fazem apanhados históricos, constroem grandes personagens e mostram todos os lados das questões. O mesmo vale para *O reino e o poder* (sobre o jornal *The New York Times*, onde trabalhou), *Honor thy father* e *Fame and obscurity*.

Os eleitos, de Tom Wolfe (Rocco) – Wolfe é polêmico em tudo o que faz: nos romances (como *Fogueira das vaidades*), nos ensaios culturais (como *Da Bauhaus ao nosso caos* e *A palavra pintada*), no "new journalism" repleto de onomatopeias, rótulos (como "radical chic") e metáforas (*O teste do ácido do refresco elétrico*, sobre as festas antecessoras das "raves"). Mas *Os eleitos* é seu livro mais bem aceito: um primor de narrativa, que mostra as angústias dos pilotos de caça que se tornaram os primeiros astronautas da América.

ANTOLOGIAS

Life stories – Profiles from The New Yorker, org. David Remnick (Random House) – Os perfis da revista *The New Yorker* são mundialmente considerados modelares e esta é sua antologia dos 75 anos. Aqui estão marcos jornalísticos como o perfil de Hemingway por Lillian Ross e o de Marlon Brando por Truman Capote. Joseph Mitchell, Joan Acocella, A.J. Liebling e Adam Gopnik são alguns dos outros grandes jornalistas incluídos.

The Art of Fact, org. Kevin Kerrane e Ben Yagoda (Simon and Schuster) – Esta é a melhor antologia de jornalismo literário. Ela começa com Daniel Defoe e Charles Dickens, entre outros grandes romancistas, passa por *Hiroshima* de John Hershey (eleita a melhor reportagem do século XX), *A sangue frio* de Truman Capote e o "gonzo journalism" de Hunter S. Thompson, e chega a Bill Buford (*Entre os vândalos*), Ryszard Kapuscinski (*Ébano*) e outros contemporâneos.

A arte da entrevista, org. Fábio Altman (Scritta) – Esta antologia tem grandes entrevistados e entrevistadores estrangeiros e nacionais. Entre os entrevistados estrangeiros, pensadores como Marx e Freud, políticos como Hitler e Fidel, artistas como Greta Garbo e John Lennon. Entre os brasileiros, Getúlio Vargas (por Samuel Wainer), Leila Diniz (pela turma do *Pasquim*) e Pedro Collor (a célebre entrevista à revista *Veja*).

200 crônicas, de Rubem Braga (Record) – Ainda falta no Brasil uma boa antologia adulta das melhores crônicas escritas de Machado de Assis a Carlos Heitor Cony, passando por João do Rio, Drummond, Clarice Lispector, Paulo Mendes Campos, Otto Lara Resende, Antonio Callado, Ivan Lessa e Luis Fernando Veríssimo. Que se fique, então com Rubem Braga, conhecido como "o príncipe dos cronistas" (o rei? Machado de Assis), que foi também correspondente de guerra e criou um modelo de texto jornalístico.

The Penguin book of twentieth-century essays, org. Ian Hamilton. – A melhor antologia sobre o ensaísmo moderno de língua inglesa. Além de Eliot, Orwell, Mencken e Wilson, há o brilho de W.H. Auden, Mary McCarthy, Randall Jarrell e E.B. White. E o de escritores contemporâneos como John Updike, Gore Vidal (que muitos consideram melhor ensaísta que ficcionista) e Martin Amis, todos intensos colaboradores da imprensa.